『となえて おぼえる 漢字の本』
～ 使いかた ～

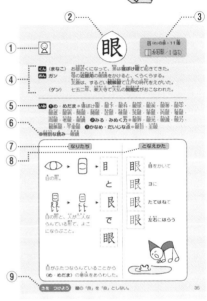

① 漢字ファミリーのシンボルマークです。下村式では、漢字をなりたちのテーマで12のグループに分けました。(254ページ「漢字ファミリー分類表」参照)

② 見出しの漢字です。本書では漢字を漢字ファミリーごとに、関係の深い順に配列してあります。

③ 部首・画数のほかに、「下村式 はやくりさくいん®」による、漢字の「型」と「書きはじめ」をしめしました。(249ページ参照)

④ 訓読みをひらがな、音読みをカタカナでしめしました。訓読みの細い字は送りがなです。( )は小学校で習わない読みかたです。

⑤ 漢字の意味と熟語例をしめしています。意味がいくつもある場合には❶❷…とし、意味ごとに熟語を分けてしめしました。

⑥ 読みや送りがなの注意です。
●特別な読み…文化庁の定める「常用漢字表」の付表にのっている、特別な読みかたをすることばをしめしました。そのうち( )は小学校で習わないことばです。〈都道府県〉は都道府県名に使われる読みかたです。
●読み方に注意…④にしめした読みかた以外で読むことばなどをしめしました。
●送りがなに注意…使いかたによって送りがなに注意が必要なことばをしめしました。

⑦ 漢字が絵から、どのようにてきたのかをしめしました。漢字のおおもとの意味や組みたてを、下村式独自の新しいくふうと解釈でわかりやすく説明しています。

⑧ 漢字の書き順の流れを、下村式の「口唱法®」で、絵かきうたのようにとなえながらおぼえられます。(230ページ「となえかたのやくそく」・262ページ参照)

⑨ この漢字を書くときの注意や、この漢字を使ったことばのクイズなどをのせました。小学校で習わない漢字がててくることもあります。クイズの答えは、252ページにあります。

おうちの方へ●『となえて おぼえる 漢字の本』についてのくわしい説明は262ページを見てください。この本にもとづく『となえて かく 漢字練習ノート』で書きとりをして、読み書きの問題を解くと、さらに学習が深まります。

となえて おぼえる 下村式
漢字の本
改訂4版
小学5年生

下村 昇=著　まつい のりこ=絵

こびとが散歩を
していると、
ふしぎなつえが
　　落ちていた。

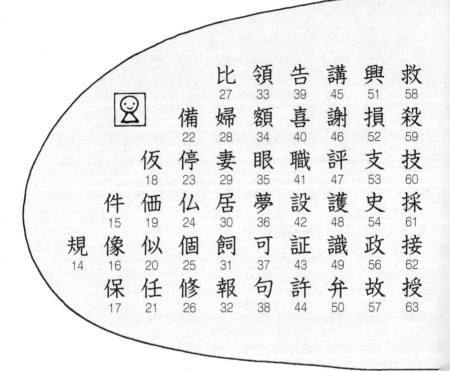

つえをふると、
空(そら)に
漢字(かんじ)の雲(くも)がでた。

招 64
提 65　往 70　述 74
導 66　復 71　逆 75　歴 78　快 81
衛 67　造 72　過 76　性 79　慣 82　態 84　肥 86　効 88
術 68　迷 73　適 77　情 80　応 83　志 85　脈 87　務 89　勢 90
得 69

査 113
構 116　検 118　枝 120　条 122　程 124　税 126　粉 128
格 117　桜 119　版 121　築 123　移 125　精 127　毒 129

象 99　貧 102
財 100　賛 103　責 105　費 107　貸 109　易 111
貯 101　質 104　貿 106　資 108　賞 110　属 112

序 133

営 130　舎 131　余 132　容 134　寄 135　因 136　団 137　囲 138

暴 139　測 142　潔 145　液 148　防 151　際 154　銅 157
旧 140　演 143　混 146　永 149　限 152　破 155　鉱 160
準 141　河 144　減 147　厚 150　険 153　確 156　均 161

益 177　示 179　耕 182　刊 185　判 188　張 191　師 194
豊 178　祖 180　酸 183　則 186　士 189　輸 192　武 195
　　　　禁 181　罪 184　制 187　断 190　久 193　航 196　再 197

もういちどふると、
もっと漢字の雲がでた。

境 162
増 164
在 165
基 166
墓 167
型 168
堂 169
幹 170
略 171
留 172
圧 174
燃 175
災 176

経 198
総 199
紀 200
綿 201
績 202
絶 203
統 204
編 205
織 206
常 207
布 208
複 209
製 210
率 211
現 212
素 213

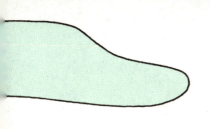

雲（くも）から、
漢字（かんじ）の雨（あめ）が
ふってきた。

かみなりだ！
いなびかりの中に
見えるもの、なんだろう？

「漢字はね、
絵からできたんだよ。
もっと走っていくと、
どの漢字にも、
 なりたち のところがあるから
よく見てごらん。」
と、とんぼがいいました。

災
176

○→止→止　あるいていく
　　　　　左足の形。

○→少→少　あるいていく
　　　　　右足の形。

○→夂→夂　こちらにむかって
　　　　　くる足の形。

○○→癶→癶　足をそろえた形。

暴
139

139ページの
となえかた を
見てごらん。

布
208

208ページの
となえかた を
見てごらん。

また光った！

「となえかたはね、漢字を
口でとなえながら書けるように
してあるんだよ。」
と、こんども、とんぼが
おしえてくれました。

さあ、もっと走って
いきましょう。

見(みる)の部・11画
左右型／一(よこぼう)

くん ──
おん キ

自転車にのるときは、**交通規則**を守ることが大切だ。
市民マラソン大会の日には、**交通規制**がおこなわれる。
長い**定規**をつかって、まっすぐな線をひく。

いみ ❶**きまり・おきて・てほん** ● 規格・規準・規則・規定・規程・規約・規律・定規・新規・正規・内規・法規 ❷**正しくする・とりしまる** ● 規正・規制

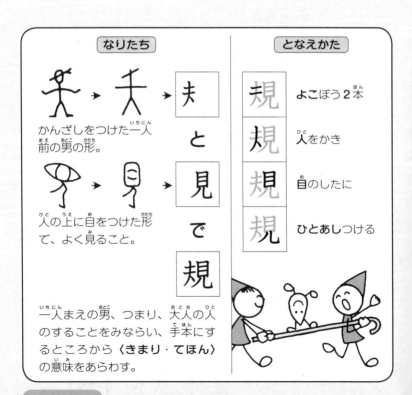

なりたち

かんざしをつけた一人前の男の形。

人の上に目をつけた形で、よく見ること。

夫 と 見 で 規

一人まえの男、つまり、大人の人のすることをみならい、手本にするところから〈きまり・てほん〉の意味をあらわす。

となえかた

規 よこぼう2本
規 人をかき
規 目のしたに
規 ひとあしつける

きを つけよう 規の「見」を「貝」としない。

人(ひと)の部・6画

左右型／ノ(ななめぼう)

くん ——

おん ケン　シリーズの新巻でも、名探偵の活躍で、**事件**が解決した。
　　　　夏に海外旅行に行く**条件**は、その前に宿題が終わることだ。
　　　　父に電話をかけてきた人の**用件**をメモしておく。
　　　　毎年、年末になると、交通事故の**件数**がふえる。

いみ ことがら・できごと ● 件数・件別・案件・一件・雑件・事件・条件・人件費・物件・別件・無条件・用件・要件

なりたち

人のよこ向きの形。

牛の頭の形。

どれいや牛のように、つながれて、自由の身になれないもののことから、生きものでないもの、つまり、〈ことがら〉の意味になった。

となえかた

にんべんに（イをかいて）

ノ　一

よこ（ぼう）で

たてぼうながく

きを　つけよう　件の「牛」を「午」としない。

人(ひと)の部・14画
左右型／ノ(ななめぼう)

くん ——
おん ゾウ　奈良には、国宝に指定された**仏像**がたくさんある。
　　　　歴史の本を読んで、昔の人びとのくらしを**想像**する。

いみ にせてつくったかたち・すがた ● 映像・画像・胸像・虚像・偶像・群像・現像・実像・受像機・肖像・石像・想像・銅像・仏像・木像・立像(立像)

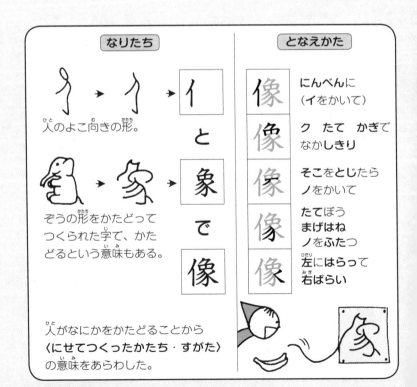

なりたち

人のよこ向きの形。 → イ

ぞうの形をかたどってつくられた字で、かたどるという意味もある。 → 象

イと象で像

人がなにかをかたどることから〈にせてつくったかたち・すがた〉の意味をあらわした。

となえかた

にんべんに(イをかいて)
ク たて かぎで なかしきり
そこをとじたら ノをかいて
たてぼう まげはね ノをふたつ
左にはらって 右ばらい

きを つけよう　像の「ク」を「マ」としない。

人(ひと)の部・9画
左右型／ノ(ななめぼう)

くん たもつ　ストーブをつけて、へやの温度をあたたかく保つ。
おん ホ　いちばん下の弟が、保育園に入園した。
　　　　新しい電池を引き出しに保管しておく。
　　　　保育士の仕事は、一日中いそがしい。
　　　　缶入りの乾パンは保存がきく。

いみ ❶せわをする・そだてる●保育・保養　❷たもつ・もちつづける・まもる●保安・保温・保管・保健・保護・保持・保守・保障・保身・保全・保存・保有・保留・確保・留保　❸うけあう●保険・保証・担保

なりたち

人のよこ向きの形。

赤ちゃんをだいじにくるんだ形。

保

人が赤ちゃんをだいじにだいているようすから、〈せわをする・そだてる〉という意味になった。

となえかた

保　にんべんに（イをかいて）

保　口をひらたく

保　木をしたに

きを つけよう　「保つ」は「保もつ」としない。

人(ひと)の部・6画
左右型／ノ(ななめぼう)

くん かり　新居が完成するまでは、仮の住まいでくらす。
おん カ　ぼくが宇宙飛行士になって、月へいくと仮定してみよう。
　　　　ハロウィンの仮装行列に、ドラキュラのかっこうで参加する。
　（ケ）弟は都合のわるいとき、仮病をつかうのがじょうずだ。

いみ ❶かり・まにあわせ●仮契約・仮小屋・仮住まい・仮縫い・仮寝・仮称・仮設・仮説・仮定・仮名・仮眠・仮名　❷にせ・いつわり・ほんとうでない●仮死・仮性・仮装・仮面・仮病
●特別な読み…(仮名)

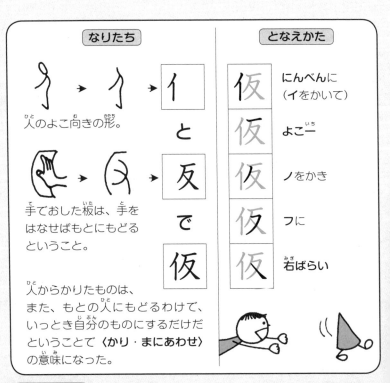

きを　つけよう　「仮」は「仮り」としない。

人(ひと)の部・8画
左右型／ノ(ななめぼう)

くん (あたい) その本はおもしろそうだけど、読むに価しないと思う。
駅周辺の土地の価が、じりじりと上がっている。

おん カ このつぼは室町時代のもので、歴史的な価値が高い。
物価が上昇すると、景気がよくなるといわれる。
ぼくがほしい、クモの図鑑の定価は、三万円だ。

いみ ❶ねうち●価値・真価・評価 ❷ねだん●価格・安価・原価・高価・市価・時価・代価・単価・地価・低価・定価・特価・売価・物価・米価

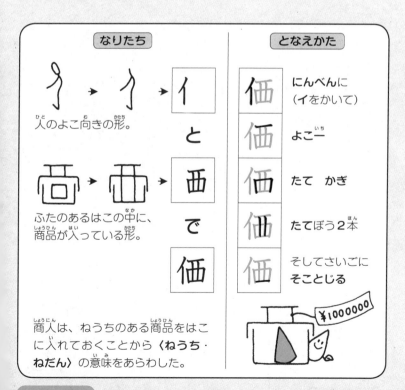

きを つけよう 価の「西」を「西」としない。

人(ひと)の部・7画
左右型／ノ(ななめぼう)

くん にる　わたしと妹は、性格はちがうが、顔がよく**似**ている。
　　　　先生と奥さんは、だれもがみとめる、**似合い**のカップルだ。
おん (ジ)　二つの事件には、**類似**する点が多く見受けられる。
　　　　コンパスを使って、二倍の大きさの**相似形**をかく。

いみ にる・にせる・まねる ● 似合い・似顔・疑似・近似値・酷似・相似・類似

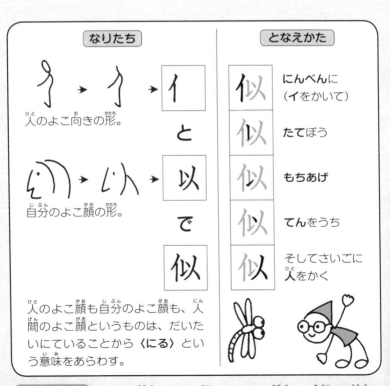

なりたち

人のよこ向きの形。
自分のよこ顔の形。

イ と 以 で 似

人のよこ顔も自分のよこ顔も、人間のよこ顔というものは、だいたいにていることから〈にる〉という意味をあらわす。

となえかた

にんべんに（イをかいて）
たてぼう
もちあげ
てんをうち
そしてさいごに人をかく

クイズ　　□の空似　□に入るのは？　①親子　②他人　③夫婦

人（ひと）の部・6画
左右型／ノ（ななめぼう）

くん まかせる　ヨットの行き先は風に**任せる**として、昼ご飯を食べよう。
　　　まかす　　わたしはガラスふきをしたいので、庭そうじを妹に**任す**。
おん ニン　　　金魚は、ぼくが責**任**をもって世話をしている。
　　　　　　　　若い新**任**の先生が、わたしたちのクラスを受け持つ。
　　　　　　　　寄付する金額は、それぞれ**任**意なのだそうだ。

いみ ❶つとめ・役目・しごと● **任**官・**任**期・**任**地・**任**務・**任**命・**任**用・兼**任**・辞**任**・就**任**・新**任**・責**任**・担**任**・留**任**　❷まかせる● 力**任**せ・出**任**せ・**任**意・一**任**・委**任**・放**任**

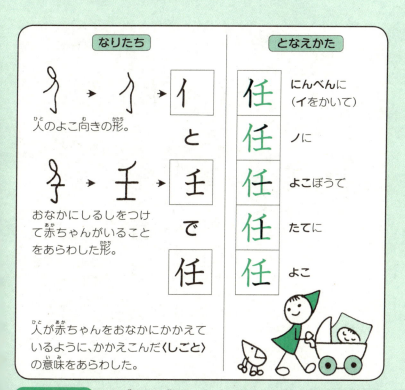

きを　つけよう　任と似ている字…仕

人（ひと）の部・12画
左右型／ノ（ななめぼう）

くん そなえる　災害に**備**えて、必要なものをそろえておく。
　　　　そなわる　各教室には、エアコンが**備**わっている。
おん ビ　　　　運動会の**準備**がおわって、明日はいよいよ本番だ。
　　　　　　　　小学校では夜になると、**警備**員さんが巡回をしている。

いみ ❶用意する・そなえる・そなえ ●備考・備品・完備・兼備・準備・常備薬・整備・設備・装備・不備・予備　❷まもり・敵にそなえる ●軍備・警備・守備・兵備・防備

なりたち

𗃛 → 𗃜 → イ
人のよこ向きの形。

𠁅 → 𠁆 → 䒑
矢をそろえて入れておくものの形。

イ と 䒑 で 備

ものをきちんと入れておくように、人が、いろいろなものを用意しておくことから〈用意する・そなえる〉という意味をあらわした。

となえかた

備　にんべんに（イをかいて）
備　よこ　たて　たて　よこ
備　ノをかいて
備　たて　かぎはねて
備　よこぼう2本でたてをかく

つかいわけ　災害に**備**える。お墓に花を**供**える。

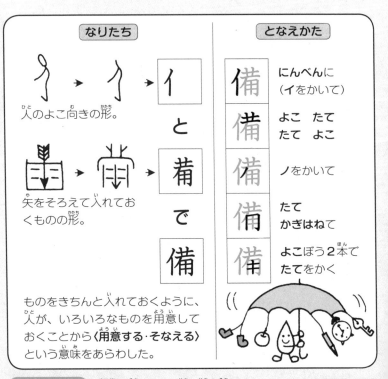

人(ひと)の部・11画
左右型／ノ(ななめぼう)

くん ——
おん テイ　台風の夜、**停**電が長くつづいて、とても不安だった。
　　　　　バスの**停**留所でいっしょにでかける友だちを待つ。
　　　　　この駅での電車の**停**車時間は、三十秒です。

いみ ❶**とまる・とめる**●停学・停止・停車・停職・停船・停滞・停電・停泊・停留所　❷**やめる**●停戦・停年・調停

なりたち

人のよこ向きの形。 彳 → 亻 → イ

旅人のとまるやどやの、高いたてもののこと。 倉 → 髙 → 亭

イ と 亭 で 停

人が、やどやのたてものにとどまることから〈とまる〉の意味をあらわす。

となえかた

停	にんべんに（イをかいて）
停	てん 一
停	口
停	ワで
停	よこ たてはねる

きを つけよう　停の「冖」を「宀」としない。

人(ひと)の部・4画
左右型／ノ(ななめぼう)

- **くん** ほとけ　目をとじて、心を静かにして、仏様に手を合わせる。
- **おん** ブツ　奈良の東大寺は、高さ約十五メートルの大仏で有名だ。
  法事でおぼうさんがきて、念仏をとなえる。
  インドで生まれた仏教は、アジアの各地に広まった。

いみ
❶ **ほとけ**● 仏画・仏教・仏師・仏事・仏式・仏舎利・仏心・仏前・仏像・仏典・仏法・仏滅・仏門・成仏・神仏・石仏・大仏・念仏
❷ 「フツ」と読んで、フランスのこと● 仏語・仏人

なりたち

彡 → 彳 → イ
人のよこ向きの形。

山 → ム
うででかかえこむ形で、ひろいこと。

イ と ム で 仏

人は生きていると、心の中で善や悪について考え、なやむものだが、そういうなやみをのりこえた人、つまり、心がひろく、なさけのある人ということから〈ほとけ〉の意味をあらわす。

となえかた

仏
仏

にんべんに
(イをかいて)
ム

古代インド語のBuddha(ブッダ)を仏陀(ブッダ)とかくようになってから一般に「ほとけ」のことを仏とかくようになった。

クイズ　仏の顔も□度　□に入るのは？　①三　②四　③六

人(ひと)の部・10画
左右型／ノ(ななめぼう)

くん ——
おん コ　世界が平和でなければ、**個人**の幸福はないと思う。
寝台列車の**個室**に乗って旅をするのが、ぼくの夢だ。
よい**個性**をのばそうというのが、学校の教育方針だ。
おじが駅前のギャラリーで、油絵の**個展**をひらいている。

いみ ひとつ・ひとり・ものをかぞえることば● 個々・個室・個人・個人差・個人主義・個数・個性・個体・個展・個別・一個・各個・好個・数個・別個

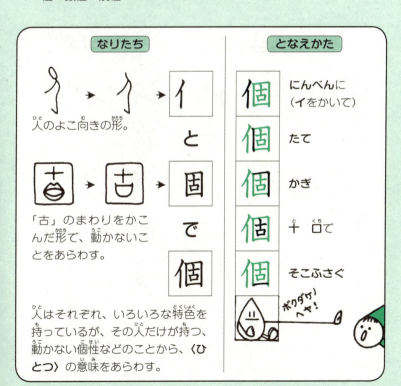

クイズ　個 － 固 ＋ 牛 ＝ ？

人(ひと)の部・10画
左右型／ノ(ななめぼう)

くん おさめる　剣道のけいこは、身を**修める**のに役に立つ。
　　　　　　　　大学で医学を**修める**。
　　　　おさまる　高学年になって、ようやく生活態度が**修まる**。
おん シュウ　こわれても、すぐにすてないで、**修**理して使おう。
　　　（シュ）　空海はわかいころ、山の中で仏道の**修**行をしたそうだ。

いみ ❶**まなんで身につける**●修学・修身・修得・修養・修練・修行
❷**ととのえる・なおす**●修正・修整・修繕・修築・修理・改修・補修　❸**かざる**●修辞・修飾　❹**書物をつくる**●修史・監修・編修

(なりたち)　　　　　　　　　　(となえかた)

水をそそいで行水をさせる形。

かみの毛につける、かざりの形。

と

彡

で

修

からだをあらって身をきよめ、きれいにかざることから〈身につける・ととのえる・かざる〉の意味をあらわす。

 にんべんに
（イをかいて）

修　たてぼう
　　つけたら

 ノー と
　　つづけ

修　左右にはらって

 ノをみっつ
　　（さんづくり）

つかいわけ　　学業を**修**める。ケースに**収**める。国を**治**める。税金を**納**める。

比(くらべる)の部・4画
左右型／一(よこぼう)

くん くらべる
妹と背の高さを**比べる**たびに、どんどん追いつかれる。
カブトムシの**力比べ**大会に参加して、二位になった。
友だちと、どちらが早く計算できるかを**比べる**。

おん ヒ
桜と梅の、花びらの形を**比較**してみる。
ここからながめる夕陽は、**比類**のない美しさだ。

いみ ❶ならべる・くらべる●根比べ・背比べ・力比べ・比較・比擬・比喩・比類・対比・無比 ❷わりあい●比重・比率・比例・等比

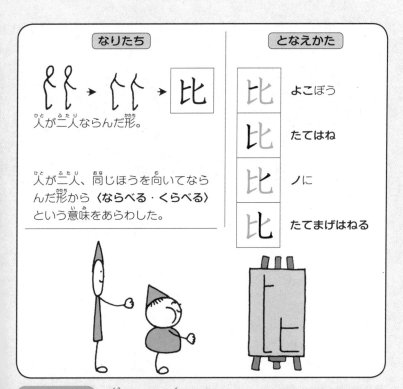

（なりたち）
人が二人ならんだ形。

人が二人、同じほうを向いてならんだ形から〈ならべる・くらべる〉という意味をあらわした。

（となえかた）
比 よこぼう
比 たてはね
比 ノに
比 たてまげはねる

（きを つけよう）「**比べる**」は「比らべる」としない。

女(おんな)の部・11画
左右型／ノ(ななめぼう)

くん ——
おん フ

仲のよい**夫婦**は、よく「おしどり**夫婦**」といわれる。
母はわが家の**主婦**として、家事をきりもりしている。
デパートの**婦人服**売り場で、母の日のプレゼントを買う。

いみ ❶よめ・つま● 一夫一婦・主婦・新婦・夫婦　❷おんなの人● 婦女・婦人・家政婦・寡婦・賢婦・産婦・妊婦

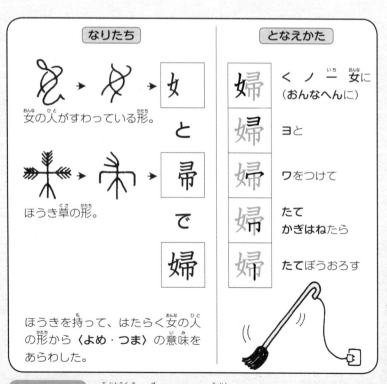

なりたち

女の人がすわっている形。
ほうき草の形。
ほうきを持って、はたらく女の人の形から〈よめ・つま〉の意味をあらわした。

女 と 帚 で 婦

となえかた

婦　く ノ 一 女に（おんなへんに）
婦　ヨと
婦　ワをつけて
婦　たて かぎはねたら
婦　たてぼうおろす

つかいわけ　婦人服売り場。キュリー夫人。

女(おんな)の部・8画
上下型／一(よこぼう)

くん つま　連続ドラマの主人公は、将軍ではなく、その**妻**だ。
おん サイ　**キュリー夫妻**はともに物理学者で、ノーベル賞も受賞した。
父は**愛妻家**で、そうじやせんたくも得意だ。
学校の男の先生は全員が**妻帯者**で、独身はいない。

いみ つま ●人妻・妻子・妻女・妻帯・愛妻・後妻・正妻・先妻・夫妻・亡妻・良妻賢母

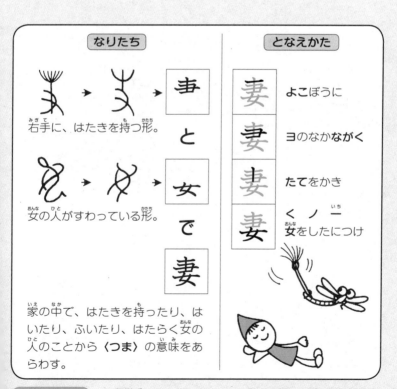

なりたち

右手に、はたきを持つ形。
女の人がすわっている形。

妻 と 女 で 妻

家の中で、はたきを持ったり、はいたり、ふいたり、はたらく女の人のことから〈つま〉の意味をあらわす。

となえかた

よこぼうに
ヨのなかながく
たてをかき
くノ一
女をしたにつけ

クイズ　□**妻賢母** □に入るのは？　①本　②悪　③良

尸(しかばね)の部・8画
上下型／一(よこぼう)

- **くん** いる　父はでかけるのがきらいで、休みの日もだいたい家に**居る**。
ぼくの家の**居間**には、庭に面した大きな窓がある。
- **おん** キョ　縄文人は、たて穴式とよばれる**住居**に住んでいた。
子ども会の旅行で、友だちと**起居**を共にした。

いみ いる・すむ・すんでいるところ ● 居候・居眠り・居残り・居間・居留守・鳥居・居室・居住・居所・居留・隠居・閑居・起居・皇居・雑居・住居・同居・別居・居士
● **特別な読み**…(居士)

なりたち

者 → 尸古 → 居

人が、かたいこしかけにすわっている形。

人が、台の上におしりをのせて、こしをおちつけることから〈いる・すむ〉という意味をあらわす。

となえかた

居　コ
居　ノとつづけて
居　十の
居　口

きを つけよう　居の「尸」を「戸」としない。

食(しょく)の部・13画
左右型／ノ(ななめぼう)

くん かう　北海道の親せきの家では、乳牛を**飼**っている。
　　　　県の条例で、犬を**放し飼い**にするのは禁じられている。

おん シ　　牧場内で、クローバーなどの**飼料作物**を栽培する。
　　　　二学期から、クラスの**飼育係**をつとめることになった。

いみ やしなう・動物に食べものをあたえてそだてる ● 飼い犬・飼い主・飼い葉・子飼い・放し飼い・飼育・飼養・飼料

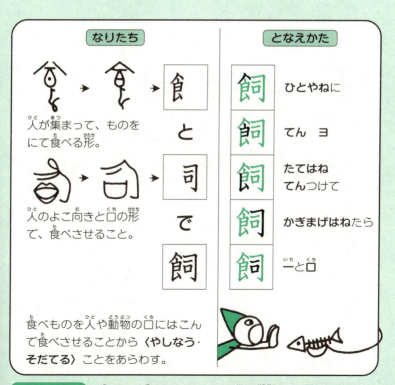

なりたち

人が集まって、ものをにて食べる形。

人のよこ向きと口の形で、食べさせること。

食 と 司 で 飼

となえかた

飼　ひとやねに
飼　てん ヨ
飼　たてはね てんつけて
飼　かぎまげはねたら
飼　一と口

食べものを人や動物の口にはこんで食べさせることから〈やしなう・そだてる〉ことをあらわす。

クイズ　飼い□に手をかまれる　□に入る動物は？

報

土（つち）の部・12画
左右型／一（よこぼう）

くん（むくいる）　母の日ごろの苦労に**報いる**ため、勉強をがんばる。
ホームランを打って、相手チームに一矢を**報いる**。

おん　ホウ　庭そうじの**報**酬は百円で、草とりもすれば三百円だ。
救助隊から、全員無事に下山中との**報**告がはいる。
新聞には、さまざまな情**報**がのっている。
台風が近づき、大雨や強風の警**報**が発令された。

いみ　❶むくいる・むくい・しかえし　報恩・報酬・報復・応報　❷知らせる・知らせ　報告・報知・報道・会報・急報・警報・公報・情報・速報・通報・電報・予報

なりたち

首をうなだれた人と、さかさまの「屰」の形で、罪人のこと。

と

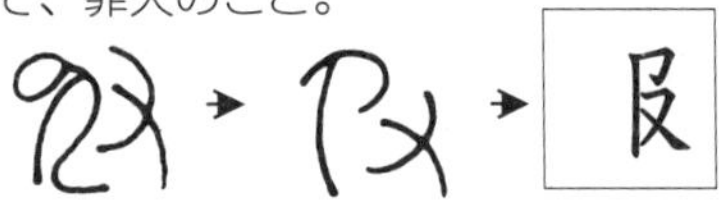

ひざまずいている人と手の形で、手でおさえつけること。

で

報

わるいことをした人を上からおさえつけて、刑罰をうけさせることで〈むくい・しかえし〉の意味。

となえかた

土に
ソ　一で
十をかき
かぎまげはねて　たてながく
かなのフかいたら　右ばらい

きを　つけよう　報の「𠬝」を「反」「皮」としない。

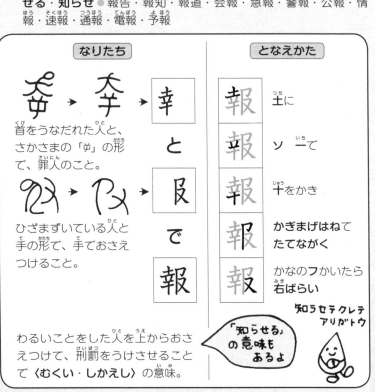

頁（おおがい）の部・14画
左右型／ノ（ななめぼう）

くん ──
おん リョウ

世界には、ロシアのように広大な**領土**をもつ国がある。
アメリカの**大統領**は、四年ごとに選挙で選ばれる。
領収書を保管しておくと、返品や交換のときに役立つ。
自分の考えをまとめて、**要領**よく発表する。

いみ
❶**支配する・おさめる** ● 領域・領海・領空・領事・領主・領地・領土・領分・首領・占領・大統領
❷**たいせつなこと** ● 綱領・要領
❸**うけとる** ● 領収・横領・受領

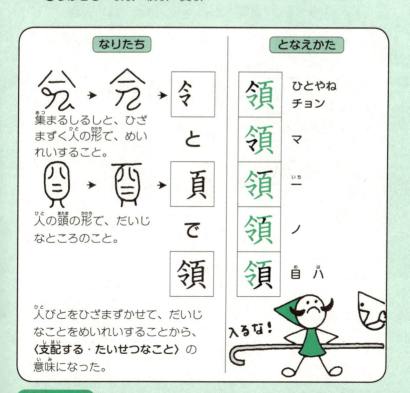

なりたち

集まるしるしと、ひざまずく人の形で、めいれいすること。

人の頭の形で、だいじなところのこと。

人びとをひざまずかせて、だいじなことをめいれいすることから、〈支配する・たいせつなこと〉の意味になった。

となえかた
領　ひとやね　チョン
領　マ
領　一
領　ノ
領　自　ハ

きを　つけよう　領の「貝」を「見」としない。

頁（おおがい）の部・18画
左右型／丶（てん）

くん ひたい
近ごろ、母の**額**のしわがふえたような気がする。
先生へのプレゼントを何にするか、**額**を集めて相談する。
猫の**額**のようなせまい土地に、家がいくつも建つ。

おん ガク
祖母がぼくをかいてくれた絵を、**額**に入れてかざる。
遠足に持っていくおやつの合計の金**額**を計算する。
今日は、お肉屋さんのコロッケやメンチカツが半**額**の日だ。

いみ ❶**ひたい**●富士額・前額部 ❷**がく**●額縁 ❸**おかねや品物などの数量**●額面・価額・巨額・金額・月額・減額・高額・差額・残額・少額・税額・全額・総額・増額・多額・定額・年額・半額

なりたち

家にくる客のことで、だいじにもてなすこと。

と

人の頭の形。

で

頭部のうち、だいじなところということから〈ひたい〉の意味をあらわした。またそこから、門の上にかかげる札〈がく〉や、一定の〈数量〉などの意味にもなった。

となえかた

額　ウかんむり

額　夕のてんのばし

額　口をいれ

額　右におおきく　一ノ目ハ

クイズ　「**額**を集める」の意味は？　①相談　②集合　③勝負

目（め）の部・11画
左右型／１（たてぼう）

- **くん**（まなこ）　お昼近くになって、弟は寝ぼけ眼で起きてきた。
- **おん** ガン　　母の近眼用の眼鏡をかけると、くらくらする。
　　　　　　　　北斎は、するどい観察眼で江戸の時代をえがいた。
- 　　（ゲン）　七五二年、東大寺で大仏の開眼式がおこなわれた。

いみ ❶**め・めだま**● 寝ぼけ眼・眼下・眼科・眼球・眼疾・眼帯・眼中・眼底・眼病・開眼・開眼・近眼・検眼・洗眼・単眼・肉眼・複眼・両眼・老眼・眼鏡　❷**みる・みぬく力**● 眼界・眼光・眼識・眼力・観察眼・千里眼　❸**かなめ・だいじな点**● 眼目・主眼

●**特別な読み**…眼鏡

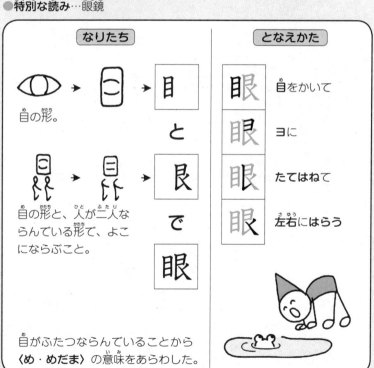

なりたち	となえかた
目の形。→ 目	眼 目をかいて
目の形と、人が二人ならんでいる形で、よこにならぶこと。→ 艮	眼 ヨに
目＋艮で 眼	眼 たてはねて
目がふたつならんでいることから〈め・めだま〉の意味をあらわした。	眼 左右にはらう

きを つけよう　眼の「艮」を「良」としない。

夕(た)の部・13画
上下型／一(よこぼう)

くん ゆめ　とても楽しい**夢**をみた。
　　　　わたしには獣医さんになる**夢**がある。
おん ム　　新しいゲームに**夢**中になって、宿題をやりわすれた。
　　　　犬に追いかけられる悪**夢**にうなされて、夜中に飛び起きた。

いみ ❶**ねむっているときにみるゆめ**●夢占い・夢路・夢見・逆夢・初夢・正夢・悪夢　❷**実際にはないもの・はかないもの**●夢物語・夢想　❸**正気でない**●夢心地・夢中・夢遊病　❹**あこがれ・のぞみ**●将来の夢

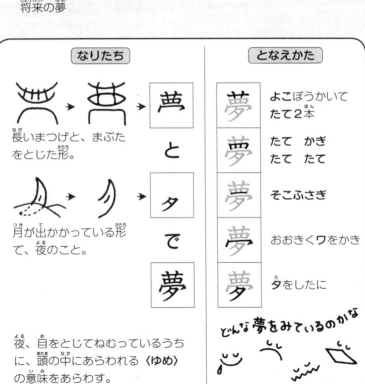

クイズ　無□夢中　□に入るのは？　①我　②理　③駄

口（くち）の部・5画
その他型／一（よこぼう）

くん ——
おん カ

月世界旅行が**可能**になる日も遠くないといわれている。
休日に校庭を使うのには、事前に先生の**許可**がいる。
借りた本は、**可**もなく**不可**もない内容で、感想が書きづらい。

いみ ❶よい・よいとゆるす・ききいれる ● 可決・可否・許可・裁可・認可・不可　❷できる ● 可及的・可視・可燃性・可能

なりたち

つるが上につかえて、のびることのできない形。

人の口の形。

つかえていた声が、いきおいよく出ることで、やっと声が出るようになったことから〈よい・できる〉の意味をあらわす。

となえかた

よこぼうに
口をかいたら
たてはねる

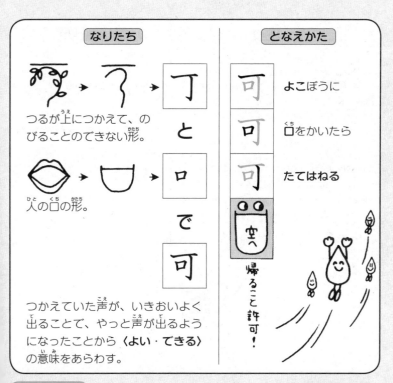

空へ帰ること許可！

きを つけよう 可の「口」は「亅」より先に書く。

口(くち)の部・5画
その他型／ノ(ななめぼう)

くん ——
おん ク

意味のわからない**語句**は、国語辞典でしらべる。
松尾芭蕉の**名句**は、多くの人に知られている。
祖母は町内で**句会**を開いていて、新聞にも投稿している。

いみ ❶**ことばや詩文のひとくぎり**●句点・句読点・一言半句・禁句・警句・語句・殺し文句・詩句・字句・秀句・章句・成句・絶句・対句・美辞麗句・文句 ❷**俳句**●句会・句集・俳句・発句・名句

なりたち

句 ▶ 句 ▶ 句

人が「口」をつつむ形。

人が口をつつみかくしている形から、ことばを腹におさめて、むだなことをいわないようにくぎるということで〈**ことばや詩文のひとくぎり**〉の意味をあらわした。

となえかた

句	ノをかいて
句	**かぎまげうちはね**
句	なかに口

クイズ 一言□句 □に入るのは？ ①文 ②絶 ③半

口（くち）の部・7画
上下型／ノ（ななめぼう）

くん つげる　正午を**告げる**鐘がなったとたん、おなかもなった。
　　　　　ホテルのフロントで、名前を**告げて**チェックインする。
おん コク　　うそをついたことを先生に**告白**して、すっきりした。
　　　　　友人の**忠告**をきいていれば、こんなことにはならなかった。

いみ つげる・しらせる・うったえる ● 告示・告訴・告知・告白・告発・告別・警告・広告・上告・申告・宣告・忠告・通告・報告・密告・予告・論告

なりたち

牛の顔の形。
口の形。

牛 と 口 で 告

神さまに牛をおそなえして、おねがいを申しあげることから〈つげる・しらせる〉の意味をあらわす。

となえかた

告　ノ　一に
告　たてで
告　よこぼうながく
告　そしてしたに口つける

アナタガダーイスキ

きを　つけよう　告の「𠂉」を「牛」としない。

口(くち)の部・12画
上下型／一(よこぼう)

くん よろこぶ　赤ちゃんのたんじょうを、家族全員で**喜**ぶ。
苦労をすれば、それだけ**喜**びも大きくなる。

おん キ　昔のモノクロの**喜**劇映画をたのしむ。
喜寿の祝いは七十七才、米寿の祝いは八十八才だ。

いみ よろこぶ・よろこび ● 喜悦・喜劇・喜捨・喜寿・喜色・喜怒哀楽・喜憂・一喜一憂・歓喜・狂喜・驚喜・随喜・悲喜

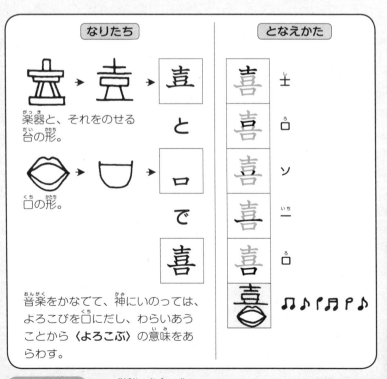

さんこう　喜の反対の意味の字…悲

耳(みみ)の部・18画
左右型／一(よこぼう)

くん ——
おん ショク

将来、どんな**職業**につくかなんて、考えたこともない。
大学三年生の姉は、もう**就職**活動を開始している。
母は出版社を**退職**して、古書店をはじめた。
ぼくの祖父は、たたみをつくる**職人**だった。

いみ しごと・つとめ・やくめ ● 職員・職業・職種・職責・職人・職場・職務・職歴・職権・官職・求職・公職・辞職・就職・退職・転職・内職・本職

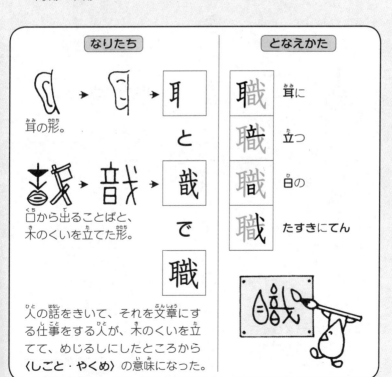

なりたち

耳の形。

口から出ることばと、木のくいを立てた形。

耳 と 戠 で 職

人の話をきいて、それを文章にする仕事をする人が、木のくいを立てて、めじるしにしたところから〈しごと・やくめ〉の意味になった。

となえかた

耳に
立つ
白の
たすきにてん

きを つけよう 職と似ている字…識・織

言(げん)の部・11画
左右型／ヽ(てん)

くん もうける　建築家のおじが独立して、自分の事務所を設けた。
近所の公園に、新たにベンチと遊具が設けられた。
おん セツ　駅前で高層マンションの建設が進んでいる。

いみ しつらえる・こしらえる・たてる● 設営・設計・設置・設定・設備・設問・設立・開設・仮設・建設・公設・私設・施設・常設・新設・創設・増設・敷設

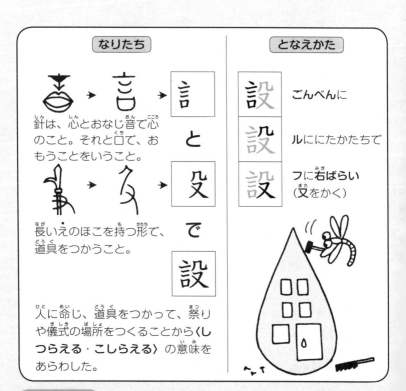

なりたち

訊は、心とおなじ音で心のこと。それと口で、おもうことをいうこと。

長いえのほこを持つ形で、道具をつかうこと。

人に命じ、道具をつかって、祭りや儀式の場所をつくることから〈しつらえる・こしらえる〉の意味をあらわした。

となえかた

設　ごんべんに
設　ルににたかたちで
設　フに右ばらい（殳をかく）

きを　つけよう　設の「殳」を「ル」としない。

言(げん)の部・12画
左右型／ヽ(てん)

くん ——
おん ショウ　勉強したかどうかは、テストの点数が**証明**してくれる。
　　　　　事故の原因については、調査委員会の**検証**が待たれる。
　　　　　病院の受付で、診察券と**健康保険証**をだす。

いみ ❶**あかしをたてる・あかし・しょうこ**●証言・証拠・証人・証明・確証・偽証・検証・考証・実証・論証　❷**しるしの文書**●証券・証文・受領証・卒業証書・保険証・領収証

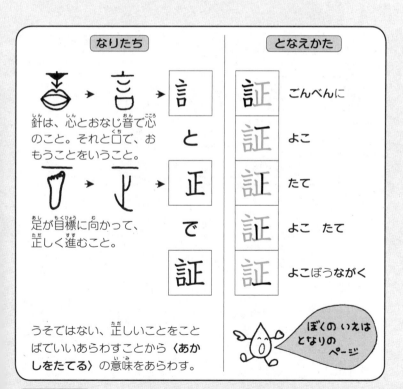

なりたち

針は、心とおなじ音で心のこと。それと口で、おもうことをいうこと。

足が目標に向かって、正しく進むこと。

言と正で証

うそではない、正しいことをことばでいいあらわすことから〈あかしをたてる〉の意味をあらわす。

となえかた

証　ごんべんに
証　よこ
証　たて
証　よこ　たて
証　よこぼうながく

ぼくの いえは となりの ページ

つかいわけ　友人の身元を**保証**する。国民の安全を**保障**する。

言(げん)の部・11画
左右型／ヽ(てん)

くん ゆるす　母はだまっているけれど、気を**許す**のはまだ早い。
　　　　心を**許し**た友人に、みごとにうらぎられた。
　　　　起こったことを正直に話せば、**許し**てくれるはずだ。
おん キョ　休みの日に学校で練習するために、先生の**許可**をもらう。
　　　　姉が車の**運転免許**をとって、真っ赤な車を買った。

いみ ゆるす・みとめる・ゆるし ● 許可・許諾・許否・許容・特許・免許・黙許

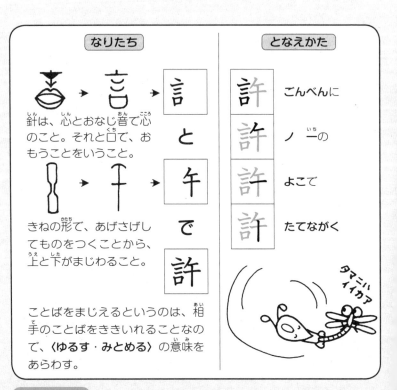

きを つけよう　許の「午」を「牛」としない。

言(げん)の部・17画
左右型／丶(てん)

くん ——
おん コウ　国際アンデルセン賞をとった作家の**講**演会にいく。
　　　　クリスマスに向けて、母とおかし作りの**講**習をうけた。
　　　　明日、学校の**講**堂で、卒業式がおこなわれる。
　　　　戦争を終わらせるために、日本と連合国は**講**和条約を結んだ。

いみ ❶話す・説明する●講演・講義・講座・講師・講釈・講習・講談・講堂・講評・講話・開講・休講　❷信仰やおかねのことで集まったなかま●講中・伊勢講・観音講・頼母子講・無尽講

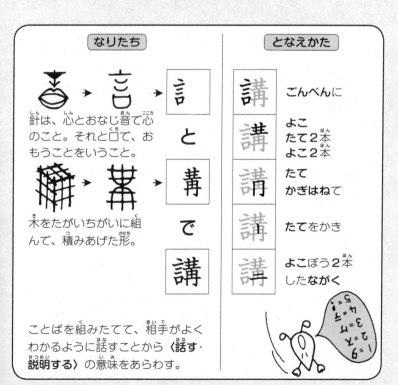

つかいわけ　芥川賞作家の**講**演。歌舞伎の地方**公**演。

45

言(げん)の部・17画
左右型／丶(てん)

- **くん** (あやまる) 悪いことをしたら、すぐに謝るのが鉄則だ。
- **おん** シャ 祖母から、感謝の気持ちのこもった手紙をもらう。
面会謝絶は今週までで、来週には会えるそうだ。
ピアノ教室の先生に、来月分の月謝をわたす。

いみ ❶わびる・あやまる・ことわる ●謝罪・謝絶・陳謝 ❷お礼をいう ●謝意・謝恩・謝辞・謝礼・感謝・月謝・深謝

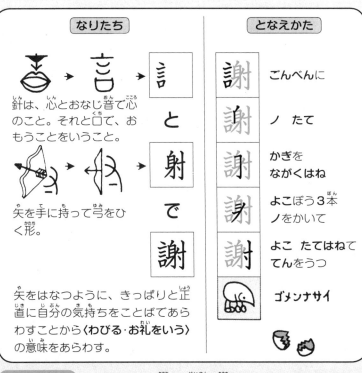

つかいわけ ごめんなさいと謝る。計算を誤る。

言(げん)の部・12画
左右型／ヽ(てん)

くん ──

おん ヒョウ　あのレストランは、いろいろな点であまり**評判**がよくない。
人間は、テストの点数だけで**評価**できるわけがない。
新聞に、わたしの大好きな本の**書評**がのっていた。

いみ ものごとのよしあしをきめる・うわさ ● 評価・評議・評決・評定・評点・評判・評論・悪評・好評・書評・寸評・世評・定評・批評・品評会・風評

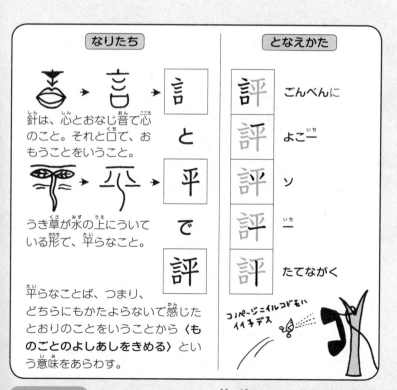

きを つけよう　評の「平」のたてぼうは、上の横ぼうからつきてない。

言(げん)の部・20画
左右型／丶(てん)

くん ―
おん ゴ

鳥の羽毛には、からだを**保護**するはたらきもある。
母は、熱を出したわたしを、つきっきりで**看護**してくれた。
動物愛護の精神をもつ。
警官は、つかまえた犯人をパトカーに乗せて**護送**していった。

いみ たいせつにまもる ● 護衛・護岸・護国・護身・護送・愛護・援護・介護・加護・看護・救護・警護・守護・弁護・保護・養護・擁護

なりたち

針は、心とおなじ音で心のこと。それと口で、おもうことをいうこと。

言 と

鳥を手でつつむように持っている形。

蒦 で

護

鳥を手でつつむように、やさしいことばでまもってやることで〈たいせつにまもる〉の意味をあらわす。

となえかた

護 ごんべんに
護 サイ
護 てん 一で たてぼうかいて
護 よこぼう3本
護 フに右ばらい

きを つけよう　護と似ている字…獲・穫

言（げん）の部・19画
左右型／丶（てん）

くん ——
おん シキ

この恐竜図鑑は、最新の情報や**知識**がいっぱいだ。
現場から、**意識**不明の人が、救急車で病院に運ばれた。
道路にはさまざまな**標識**があって、おぼえるのが大変だ。

いみ ❶知る・みわける ● 識見・識別・意識 常識・知識・認識・博識・面識　❷はっきりしたかんがえをもつ ● 識者・学識・見識・良識　❸しるす・しるし ● 標識

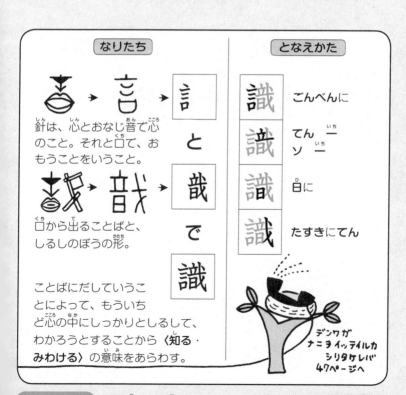

なりたち

針は、心とおなじ音で心のこと。それと口で、おもうことをいうこと。

口から出ることばと、しるしのぼうの形。

ことばにだしていうことによって、もういちど心の中にしっかりとしるして、わかろうとすることから〈知る・みわける〉の意味をあらわす。

となえかた

ごんべんに

てん 一
ソ 一

日に

たすきにてん

デンワガ
ナニヲ イッテイルカ
シリタケレバ
47ページヘ

きを つけよう　識と似ている字…職・織

廾(にじゅうあし)の部・5画
上下型／ノ(ななめぼう)

くん ——
おん ベン

菜の花の**花弁**は四枚、おしべは六本、めしべは一本だ。
灯油ポンプの**弁**がこわれて、まったく吸い上げなくなった。
ぼくのおじの仕事は**弁護士**で、駅前のビルに事務所がある。
遠足では、**お弁当**の時間がいちばん楽しみだ。

いみ ❶ポンプなどのべん●安全弁 ❷花びら●花弁 ❸区別をあきらかにする●弁別・勘弁 ❹はなしぶり●弁解・弁護・弁舌・弁明・弁論・関西弁・熱弁・雄弁 ❺やくにたてる・あてる●弁済・弁償・弁当

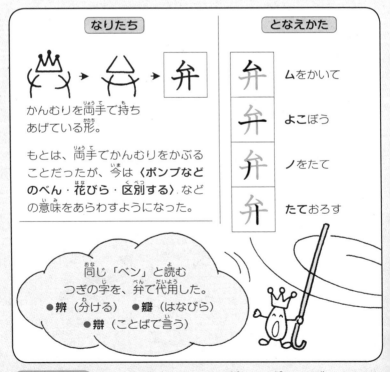

クイズ　□に弁が入るのは？　①□強　②□当　③□利

臼(うす)の部・16画
上下型／ノ(ななめぼう)

- **くん** （おこる） 新素材の開発で、新たな産業が**興る**。
- （おこす） 自分で会社を**興す**ようなことは、わたしにはできない。
- **おん** コウ 災害から復**興**するには、長い年月がかかるだろう。
- サーカスの**興**行をみるのは、今回がはじめてだ。
- キョウ 星や宇宙に**興**味をもったきっかけは、沖縄の星空だ。
- 祖父は公民館に行って、ウクレレの演奏に**興**じている。

いみ ❶おこす・おこる・さかんにする ● 興業・興廃・興奮・興亡・興隆・再興・振興・中興・復興 ❷おもしろみ・おもむき ● 興醒め・興味・興行・感興・酒興・即興・不興・余興

なりたち	となえかた
両手をはたらかせて、厚い板に穴をあける形で、協同すること。	興 ノ たて よこ よこ
	興 同をかき
両手で持ちあげている形。	興 かぎに よこ よこ
	興 よこ一ながく
	興 したにおおきくハをつける

たくさんの人の手で、協同して物を持ちあげることから〈おこす・おこる・さかんにする〉の意味をあらわす。

きを つけよう 「興る」は「興こる」としない。

手(て)の部・13画
左右型／一(よこぼう)

くん (そこなう)　素材の味を**損**なわないように、うす味に調理する。
　　　　　　　　あんまりむりをすると、健康を**損**なうよ。
　　　(そこねる)　いそがしくて、お昼ごはんを食べ**損**ねる。
おん ソン　　　　台風にともなう大雨で、大きな**損害**をこうむる。

いみ ❶へらす・へる ● 損益・損失・損得・損料・欠損　❷こわす・こわれる ● 損壊・損害・損傷・書き損じ・破損

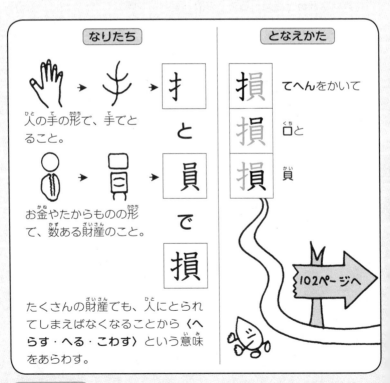

なりたち

人の手の形で、手でとること。
お金やたからものの形で、数ある財産のこと。

たくさんの財産でも、人にとられてしまえばなくなることから〈へらす・へる・こわす〉という意味をあらわす。

となえかた

てへんをかいて
口と
貝

102ページへ

きを つけよう　「**損**なう」は「損う」としない。

支(し)の部・4画
☐ その他型／一(よこぼう)

くん ささえる　柱は建物の骨組みで、屋根や床などの重さを**支える**。
　　　　　　　一家の生活を**支える**ため、母は夜おそくまで働いている。
おん シ　　　南アメリカ大陸のアマゾン川は、多くの**支流**をもつ。
　　　　　　　本の代金を、祖母にもらった図書カードで**支払う**。

いみ ❶えだのようにわかれる・わかれたもの●支局・支社・支所・支線・支庁・支店・支配・支部・支流・十二支　❷ささえる・たすける●支援・支持・支柱・支点　❸しはらう●支給・支出　❹じゃまになること●支障

●特別な読み…(差し支える)

なりたち

何枚かの、葉のついたササを、手に持つ形。

手に持っているササが、左右にわかれていることから〈**えだのようにわかれる・ささえる**〉の意味をあらわす。

となえかた

支	よこ
支	たて
支	フをかき
支	右ばらい

クイズ　　支－十＋土＋糸＝？

口(くち)の部・5画
その他型／ I (たてぼう)

くん ——
おん シ

歴**史**小説は、**史**実にもとづいて書かれている。
その昔、都があった京都には、名所や**史**跡が多い。
史上最大といわれる肉食恐竜は、ティラノサウルスだ。

いみ きろく・ふみ ● 史家・史学・史実・史書・史上・史跡・史料・国史・世界史・戦史・地方史・東洋史・日本史・文学史・文化史・有史・歴史

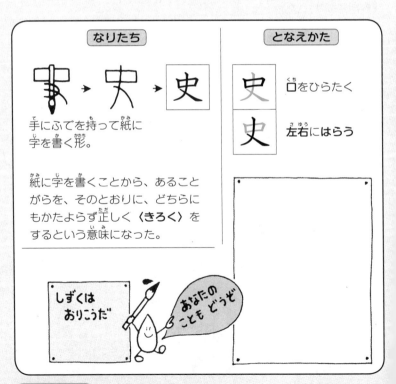

なりたち

手にふでを持って紙に字を書く形。

紙に字を書くことから、あることがらを、そのとおりに、どちらにもかたよらず正しく〈きろく〉をするという意味になった。

となえかた

口をひらたく

左右にはらう

「しずくは おりこうだ」
「あなたのことも どうぞ」

きを つけよう　史と似ている字…吏

攵(のぶん)の部・9画
左右型／一(よこぼう)

くん（まつりごと） 卑弥呼は神の声をきき、**政**をおこなったという。
おん セイ 国会議事堂を見学して、**政治**に関心をもつ。
テレビで、県知事選挙の立候補者の**政見**放送をみる。
（ショウ） 聖徳太子は、五九三年に**摂政**となった。

いみ まつりごと・国をおさめること ● 政界・政局・政見・政権・政策・政治・政争・政体・政党・政府・政変・政務・政略・政令・悪政・行政・国政・財政・市政・摂政

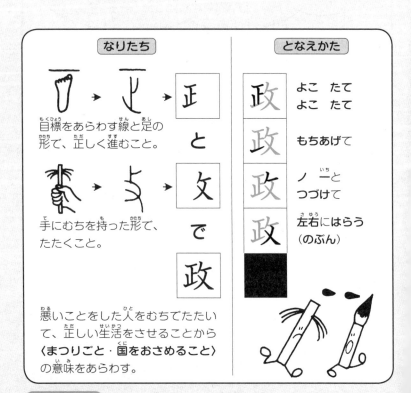

（なりたち）

目標をあらわす線と足の形で、正しく進むこと。

手にむちを持った形で、たたくこと。

悪いことをした人をむちでたたいて、正しい生活をさせることから〈まつりごと・国をおさめること〉の意味をあらわす。

（となえかた）

よこ たて
よこ たて

もちあげて

ノ 一と
つづけて

左右にはらう
（のぶん）

きを つけよう　政の「攵」を「欠」としない。

攵(のぶん)の部・9画
左右型／一(よこぼう)

くん (ゆえ) 故あって、コンクールへの参加をとりやめることにした。
おん コ 母の故郷は東京で、実家は下町の銭湯だった。
事故は保険金をめあてに、故意におこした形跡がある。

いみ ❶ふるい・もとから●故郷・故国・故事・故実・故地・縁故 ❷しぬ●故人・物故 ❸わざと●故意 ❹できごと●故障・事故 ❺わけ●何故

なりたち

十と口で、十代にもわたって語り伝えること。

手にむちを持った形で、たたくこと。

〈ふるい・もとから〉という意味だったが、むかしからの言い伝えやしきたりをたたきなおして、かえさせることから〈わざと〉という意味にもなった。

となえかた

故	かん字の十に
故	口かいて
故	ノ 一と つづけ
故	左右にはらう (のぶん)

クイズ 温故知□ □に入るのは？ ①冷 ②新 ③古

攵(のぶん)の部・11画

左右型／一(よこぼう)

くん すくう　木からおりられなくなったネコを、はしごを使って**救**う。
災害にあってこまっている人に、**救**いの手をさしのべる。
おん キュウ　ボランティアの人たちが、被災地へ**救援**に向かった。
レスキュー隊の決死の**救出**作業がはじまった。

いみ すくう・たすける・たすけ ● 救援・救急・救護・救国・救済・救出・救助・救世・救難・救貧・救命

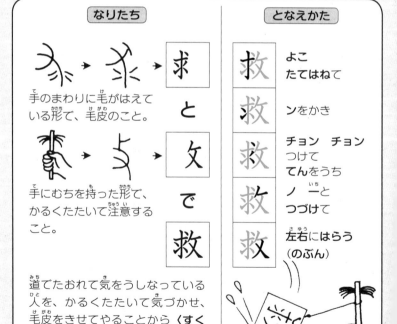

なりたち

手のまわりに毛がはえている形で、毛皮のこと。

と

手にむちを持った形で、かるくたたいて注意すること。

で

救

道でたおれて気をうしなっている人を、かるくたたいて気づかせ、毛皮をきせてやることから〈すくう・たすける〉の意味になった。

となえかた

よこ
たてはねて
ンをかき
チョン　チョン
つけて
てんをうち
ノ　一と
つづけて
左右にはらう
(のぶん)

きを　つけよう　救の「求」の右上の「、」をわすれずに書く。

殳(るまた)の部・10画
左右型／ノ(ななめぼう)

くん ころす　害虫を殺す天敵の生き物は、「生物農薬」といわれる。
図書館は静かなので、声を殺して話す。
おん サツ　低温で殺菌された牛乳は、生クリームのような味がする。
（サイ）今までのチームの成績が相殺されるほど、いい試合だった。
（セツ）無益な殺生はよくないから、虫ははなしてやろう。

いみ ❶ころす・なくす● 殺害・殺気・殺菌・殺傷・殺人・殺虫・殺生・暗殺・減殺・自殺・射殺・相殺・他殺　❷意味を強めるためにつけることば● 殺到・殺風景・笑殺・悩殺・忙殺

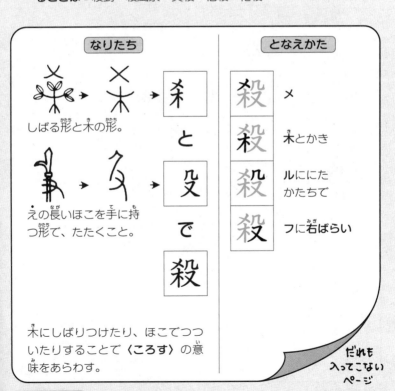

きを つけよう　殺の「メ」を「人」としない。

手(て)の部・7画
左右型／一(よこぼう)

くん (わざ) 剣道の**技**の基本となる、足の運びを教わる。
けん玉の**技**をみがいて、「世界一周」をマスターしたい。

おん ギ 近年の**情報通信技術**の発達はめざましい。
ぼくの**特技**は料理で、将来はシェフになりたい。
スキーの**競技会**の小学生の部に出場する。

いみ ❶**わざ・うでまえ**●技巧・技師・技術・技能・技法・技量・演技・実技・特技・美技・妙技・余技 ❷**スポーツ・運動競技**●球技・競技・国技

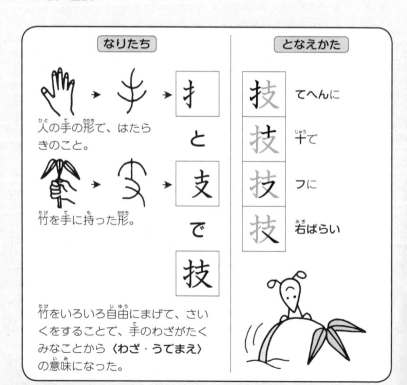

なりたち

人の手の形で、はたらきのこと。

竹を手に持った形。

才 と 支 で 技

竹をいろいろ自由にまげて、さいくをすることで、手のわざがたくみなことから〈わざ・うでまえ〉の意味になった。

となえかた

技 てへんに
技 十で
技 フに
技 右ばらい

きを つけよう 技と似ている字…枝

手(て)の部・11画
左右型(さゆうがた)／一(よこぼう)

くん とる　裏山(うらやま)で姉(あね)は山菜(さんさい)を、ぼくは昆虫(こんちゅう)を**採**る。
野生(やせい)のタケノコが**採**れたので、母(はは)はさっそく煮物(にもの)にした。
おん サイ　植物(しょくぶつ)を**採集**(さいしゅう)して、おしば標本(ひょうほん)をつくってみる。
先生(せんせい)が集中(しゅうちゅう)してテストの**採点**(さいてん)をしている。
クラスの旗(はた)のデザインは、わたしの案(あん)が**採用**(さいよう)された。

いみ とる・とりあげる・えらぶ　●採掘(さいくつ)・採血(さいけつ)・採決(さいけつ)・採光(さいこう)・採鉱(さいこう)・採算(さいさん)・採取(さいしゅ)・採拾(さいしゅう)・採集(さいしゅう)・採石(さいせき)・採択(さいたく)・採炭(さいたん)・採点(さいてん)・採否(さいひ)・採用(さいよう)・採録(さいろく)・伐採(ばっさい)

つかいわけ　挙手(きょしゅ)で**採決**(さいけつ)をおこなう。裁判所(さいばんしょ)の**裁決**(さいけつ)にしたがう。

手(て)の部・11画
左右型／一(よこぼう)

- **くん**（つぐ） 甘柿の木を渋柿の木に**接ぐ**。
  はき古したジーンズの布を**接いで**手さげ袋をつくる。
- **おん** セツ 人工衛星が月に**接近**して、月面の写真をとった。
  テレビとレコーダーを**接続**して、さっそく番組を録画する。
  メールでやりとりするよりも、会って**直接**話したい。

いみ ❶ちかづく・ちかよせる ●接近・接写・接触・接戦・間接・近接・直接 ❷つなぎあわせる・まじえる ●接合・接骨・接続・接着 ❸人にあう・もてなす ●接見・接待・応接・面接

なりたち

人の手の形。 → 扌

と

いれずみのはりと、女の形で、女の罪人のこと。 → 妾

で

接

罪人に、しるしのいれずみをするために、手でひきよせることから〈ちかづく・ちかよせる〉の意味をあらわした。

となえかた

接 てへんかき
接 てん一ソーで
接 く ノ 一をかく

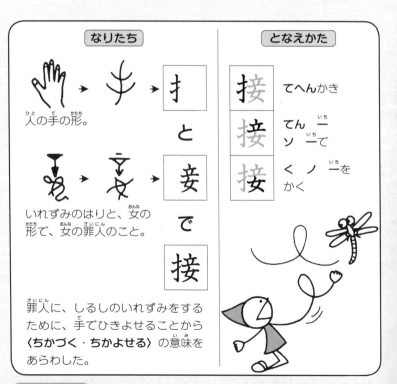

つかいわけ はずれた骨を**接ぐ**。富士山に**次ぐ**高さの山。

手(て)の部・11画
左右型／一(よこぼう)

くん (さずける)　校長先生が、一人一人に卒業証書を**授ける**。
　　(さずかる)　先生から、とても大切な人生の教えを**授かる**。
おん ジュ　　**授業**中は、静かにしないといけない。
　　　　　　　大学**教授**が開発した、最先端のロボットが公開された。

いみ **さずける・あたえる**●授△・授業・授産所・授受・授章・授賞・授乳・授与・教授・天授・伝授

さんこう　授の反対の意味の字…受

手(て)の部・8画
左右型／一(よこぼう)

くん まねく　早くおいでと手で**招く**と、犬のジョンは走ってやってきた。
　　　　　　　誕生日に友だちを家に**招く**ので、部屋のそうじをする。

おん ショウ　来週のピアノの発表会に、祖母を**招待**する。
　　　　　　　試合の前日、少年野球部の部員が**招集**された。

いみ **人をよびよせる・まねく** ● 招き猫・手招き・招引・招降・招集・招請・招待・招待状・招致・招誘・招来

きを つけよう　招の「刀」を「力」としない。

手(て)の部・12画
左右型／一(よこぼう)

くん (さげる) 母がデパートに行って、大きな包みを**提げ**て帰ってきた。
たまに**手提げ**かばんをもつと、うでがつかれる。

おん テイ 夏休みの宿題の、ゴーヤの観察日記を**提出**する。
子ども会の縁日は、公民館の部屋を**提供**してもらう。

いみ 手にさげてもつ・さしだす・もちだす ● 手提げ・提案・提起・提議・提供・提携・提言・提示・提出・提唱・提要・前提

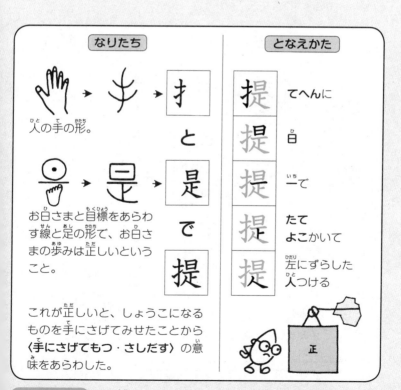

なりたち

人の手の形。

お日さまと目標をあらわす線と足の形で、お日さまの歩みは正しいということ。

これが正しいと、しょうこになるものを手にさげてみせたことから〈手にさげてもつ・さしだす〉の意味をあらわした。

となえかた

てへんに
日
一で
たて
よこかいて
左にずらした
人つける

きを つけよう 提と似ている字…堤

寸(すん)の部・15画
上下型／丶(てん)

- **くん** みちび(く) 　山歩きでは、ガイドさんが先を歩いて**導**いてくれる。
- **おん** ドウ 　　水泳のコーチに、バタフライの**指導**をうける。
　　　　　　　　花火の**導火線**に火をつけるときには、よく気をつける。

いみ ❶おしえみちびく・あんないする ●導入・引導・指導・先導・善導・補導・誘導　❷熱や電気をつたえる ●導火線・導管・導線・導体・伝導

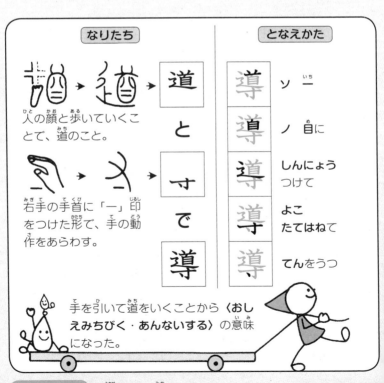

なりたち

人の顔と歩いていくことで、道のこと。

右手の手首に「一」印をつけた形で、手の動作をあらわす。

道 と 寸 で 導

手を引いて道をいくことから〈おしえみちびく・あんないする〉の意味になった。

となえかた

導	ソ　一
導	ノ　目に
導	しんにょうつけて
導	よこたてはねて
導	てんをうつ

きを つけよう　「導く」は「導びく」としない。

行(ぎょう)の部・16画
左右型／ノ(ななめぼう)

くん ―
おん エイ

赤い服と黒い帽子の**衛兵**が、バッキンガム宮殿を守る。
テニスのダブルスは、**前衛**と**後衛**で協力してたたかう。
気象衛星から、十分ごとに観測データが送られてくる。

いみ まもる・番をする・番をする人 ● 衛士・衛視・衛生・衛星・衛兵・後衛・護衛・自衛・守衛・前衛・中衛・防衛・門衛

きを つけよう　衛の「凸」を「五」としない。

行（ぎょう）(ぎょうがまえ)の部・11画

□ 左右型／ノ(ななめぼう)

くん ——
おん ジュツ

美術館にいって、絵や彫刻などの芸術作品を鑑賞する。
最先端の技術を結集して、ロケットの製造に取り組む。
母が虫垂炎の手術をうけることになった。
信玄の術中にはまって、家康は敗北した。

いみ ❶**方法・わざや学問** ● 医術・学術・奇術・技術・芸術・手術・忍術・馬術・美術・話術　❷**はかりごと・たくらみ** ● 術策・術数・術中・戦術

なりたち

十字路の形で、いくこと。

きびの形。

と

木

で

術

背の高いきびが生いしげる道でも、何度も行き来すれば道が覚えられるように、何度もくり返すことで身につく〈わざや学問〉の意味をあらわす。

となえかた

ぎょうにんべん
（ノ イとかき）

ホにてんつけて

よこぼう2本で

たてはねる

きを つけよう　術の「ヽ」をわすれずに書く。

68

イ（ぎょうにんべん）の部・11画
左右型／ノ（ななめぼう）

くん える　本で知識を**得る**のも大切だが、経験するのはもっと大切だ。
（うる）　生物が存在し**得る**星をさがす研究がおこなわれている。
おん トク　ぼくは水泳が好きで、なかでもクロールが**得意**だ。
　　　料理教室は、上達するし料理は食べられるし、**一挙両得**だ。

いみ ❶える・手にいれる● 得手・得意・得点・得票・獲得・拾得・取得
❷有利・もうけ・とくする● 得策・得失・一挙両得・所得・損得・役得
❸さとる・よくのみこむ● 得心・会得・修得・体得

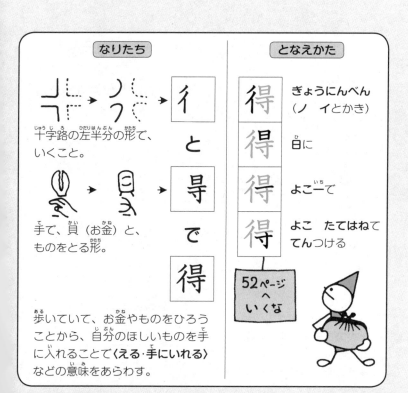

さんこう　得の反対の意味の字…失

イ(ぎょうにんべん)の部・8画
左右型／ノ(ななめぼう)

くん ―
おん オウ　夏の旅行のために、新幹線の**往復**切符を買う。
　　　　クラシックカーレースには、**往年**の名車が一堂に集まった。
　　　　人間は**往往**にして、同じあやまちをくり返す。

いみ　❶いく・すすむ●往生・往信・往診・往復・往来・往路・右往左往
　　　❷すぎさる・むかし●往古・往時・往昔・往年・既往症　❸ときどき●往往

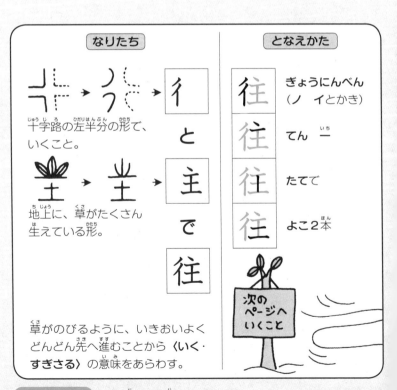

きを　つけよう　　往と似ている字…住

イ（ぎょうにんべん）の部・12画
左右型／ノ（ななめぼう）

くん ——
おん フク

城を**復**元する工事が、六月からおこなわれる予定だ。
被災地では**復**興が急がれているが、なかなか進まない。
今日の授業の内容を、わすれないうちに**復**習する。
金魚のポヨの健康が快**復**して、ほんとうによかった。

いみ
❶もとにもどる・もとにかえす● 復学・復元・復職・復調・復路・復活・復刊・復帰・復旧・復古・復興・往復・回復・快復　❷くりかえす● 復習・復唱・反復　❸しかえし● 復讐・報復　❹こたえる● 復命・拝復

つかいわけ　天候が**回復**する。病気が**快復**する。

辶(しんにょう)の部・10画
□その他型／ノ(ななめぼう)

- **くん** つくる　わたしの祖父は、和船を**造**る船大工だった。
- **おん** ゾウ　学校の授業で、パンの**製造**工場の見学にいった。
　　　　山ぞいでは、宅地の**造成**がさかんにおこなわれている。

いみ 機械や道具を使ってつくる・こしらえる ● 造営・造園・造花・造形・造作・造成・造船・造林・改造・急造・建造・構造・人造・製造・創造・木造・模造

なりたち

神にそなえた牛と、口の形で、お告げのこと。

道と足の形で、いくこと。

神のおつげをきくためのたてものをつくりにいくことで〈つくる・こしらえる〉の意味をあらわした。

となえかた

造　ノ ー
　　たて　よこ

造　口をつけ

造　左におおきくしんにょうつける

つかいわけ　巨大なタンカーを**造**る。新記録を**作**る。

辶（しんにょう）の部・9画
□ その他型／丶（てん）

くん まよう　毎朝、パンかごはんか、どちらにするか迷う。
　　　　　　山で道に迷ったら、下らずに上れとよくいわれる。
おん （メイ）　人に迷惑をかけてはいけないと祖父に教えられた。
　　　　　　夢で、迷路のようにいりくんだ廊下を歩いた。

いみ まようまよわす ●迷界　迷宮・迷信・迷想・迷路・迷惑・混迷・低迷・迷子
●特別な読み…迷子

なりたち	となえかた
 四方八方にのびる道の形。 と  道と足の形で、いくこと。 で	ソに 米をかいて しんにょうつける

道があちこちにのびているので、どっちにいけばよいかわからないということから〈まよう〉の意味になった。

きを　つけよう　「迷う」は「迷よう」としない。

辶(しんにょう)の部・8画
その他型／一(よこぼう)

- **くん** のべる　みんなの前で、自分の意見を**述べる**のは勇気がいる。
- **おん** ジュツ　工場見学でみた内容をノートに**記述**する。
南極観測に同行した新聞記者の**著述**を読む。
容疑者が、犯行の動機を**供述**しはじめた。

いみ のべる・ことばであらわす・文章に書きあらわす ● 述懐・述語・記述・供述・口述・後述・詳述・叙述・前述・著述・陳述・論述

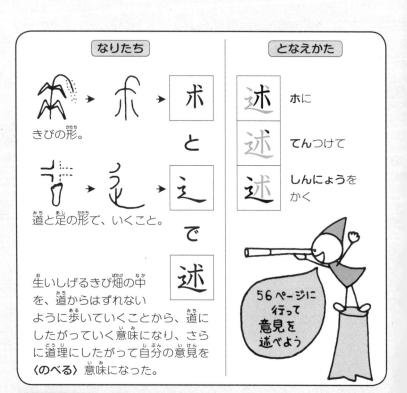

なりたち

きびの形。

道と足の形で、いくこと。

生いしげるきび畑の中を、道からはずれないように歩いていくことから、道にしたがっていく意味になり、さらに道理にしたがって自分の意見を〈のべる〉意味になった。

となえかた

ホに

てんつけて

しんにょうをかく

56ページに行って意見を述べよう

きを つけよう　述と似ている字…迷

辶(しんにょう)の部・9画
その他型／丶(てん)

くん さか　　バラの花を**逆**さまにつるして、ドライフラワーを作る。
　　　 さからう　兄は最近、父のいうことにいちいち**逆**らう。
　　　　　　　　川の流れに**逆**らって泳ぐのは、とても大変だ。
おん ギャク　チームは、キャプテンのヒットで**逆**転勝ちをした。
　　　　　　　　逆境に負けずに、すぐれた研究成果を残す。

いみ さからう・はんたいする・さかさま ● 逆上がり・逆さま・逆立ち・逆軍・逆効果・逆算・逆襲・逆説・逆賊・逆転・逆徒・逆風・逆輸入・逆流・逆境・逆光・逆行・反逆

なりたち

 と

 で

逆

ぼうにつかまり、さかさまになった人の形。

道と足の形で、いくこと。

さかさまにいくことから、いくべき人がもどってきたことをあらわし〈さからう・さかさま〉の意味をあらわした。

となえかた

 ソ 一に

 うけばこ
（たてまげ
たてぼう）

 ノをかいて

 左におおきく
しんにょう
つける

きを　つけよう　逆の「⊥」を「艹」としない。

え(しんにょう)の部・12画
□その他型／1(たてぼう)

くん すぎる　　長くて寒い冬が**過**ぎて、やっと春になった。
　　すごす　　幸せな毎日を**過**ごすには、いつも笑顔でいることだ。
　　(あやまつ)　**過**って川に落ちないように気をつけて歩く。
　　(あやまち)　**過**ちを恐れずに、新たなことに挑戦する。
おん カ　　　　**過**去をふりかえることで、未来もみえてくる。
　　　　　　　兄の手術後の経**過**は良好だ。

いみ ❶**すぎる・とおりすぎる**●昼過ぎ・過去・過日・過程・過渡期・経過・通過　❷**度をこえる**●食べ過ぎ・過激・過言・過小・過信・過多・過大・過度・過熱・過保護・過密・過労・超過　❸**しくじる**●過誤・過失・罪過・大過

(なりたち)　　　　　　　　　　　(となえかた)

うずまきの形。

道と足の形で、いくこと。

と

え

で

過

 たて　かぎ
　　　かいて

 なかに
　　　たて　よこ

 したにおおきく
　　　たて　かぎはねて

 □をいれたら

 しんにょう
　　　つける

できては消え、消えてはできる、水や風のうずまきのように、つぎからつぎへとあらわれ、通りすぎていくことから〈**すぎる・とおりすぎる**〉の意味をあらわす。

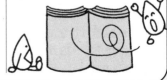

きを　つけよう　「**過**つ」は「**過**まつ」としない。

辶(しんにょう)の部・14画
□その他型／丶(てん)

くん ——
おん テキ

毎日、**適**度な運動をするのが、体にはよいそうだ。
友人との別れに、**適**切なことばを選ぶのはむずかしい。
避暑地にいき、夏休みを快**適**にすごした。
将来は、自分の能力に**適**した仕事を選びたい。

いみ
❶ **あてはまる・ふさわしい** ● 適応・適温・適格・適合・適材適所・適性・適切・適中・適度・適当・適任・適役・適用・適量・適例
❷ **心にかなう** ● 快適・自適

なりたち

てんじょうからしずくがおちる形。

道と足の形で、いくこと。

水のしずくが、ぽたん、ぽたんとたれるように、一歩一歩まっすぐに歩いていくことから〈**あてはまる・心にかなう**〉の意味をあらわした。

となえかた

てん 一
ソをかき

どうがまえ

なかに十 口で

しんにょうつける

クイズ 適材適□ □に入るのは？ ①位 ②所 ③地

止(とめる)の部・14画
□ その他型／一(よこぼう)

くん ―
おん レキ

乗り物の**歴史**を調べて、年表をつくる。
歴然とした証拠があるのに、母はとぼけている。
人工衛星の打ち上げ成功は、**歴史的**なできごとだ。

いみ ❶とおりすぎる・つぎつぎととおる・とおってきた道 ● 歴史・歴戦・歴代・歴任・歴訪・学歴・経歴・職歴・遍歴・来歴・略歴・履歴書　❷あきらか・はっきりしている ● 歴然・歴歴

なりたち

屋根の下に、きまった間かくで、いねをほす形。

足の形で、歩くこと。

麻 と 止 で 歴

いねを順序よくならべてほすように、人がつぎつぎと、順序よく歩いて通ることから〈つぎつぎととおる〉の意味をあらわす。

となえかた

歴　よこ一
歴　ノをかき
歴　林に
歴　止める

クイズ　□事来歴　□に入るのは？　①旧　②故　③大

心(こころ)の部・8画
左右型／丶(てん)

くん ——
おん セイ　　妹はあかるい**性**格で、クラスの人気者だ。
　　（ショウ）　**性**根を入れかえて、宿題はすぐやるようにがんばる。
　　　　　　祖父は気が短い**性**分で、おふろは十分以内で出てくる。

いみ ❶**人のせいしつ・うまれつき**●性根・性分・性格・性急・性行・性質・性情・気性・天性・本性　❷**ものごとの性質・傾向**●性能・悪性・危険性・酸性・植物性・属性・動物性・良性　❸**男女の区別**●性別・異性・女性・男性・同性

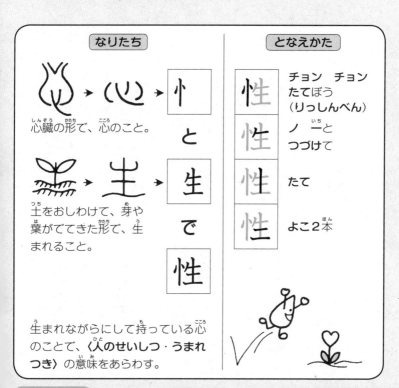

なりたち

心臓の形で、心のこと。

土をおしわけて、芽や葉がでてきた形で、生まれること。

心 と 生 で 性

生まれながらにして持っている心のことで、〈人のせいしつ・うまれつき〉の意味をあらわす。

となえかた

チョン　チョン
たてぼう
（りっしんべん）

ノーと
つづけて

たて

よこ2本

きを つけよう　性と似ている字…姓

心(こころ)の部・11画
左右型／丶(てん)

くん なさけ　　人の情けというのは、ありがたいものだと思う。
おん ジョウ　　祖父は、趣味の盆栽に情熱をそそいでいる。
　　(セイ)　　古い家には、なんともいえない風情と落ち着きがある。

いみ ❶こころ・まごころ・なさけ●情愛・情感・情操・情緒(情緒)・情熱・愛情・感情・苦情・心情・同情・人情・薄情・非情・友情・旅情　❷ようす・ありさま●情景・情勢・情報・表情　❸おもむき・あじわい●情趣・情調・情味・風情

なりたち

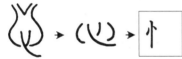

心臓の形で、心のこと。

草と、いどの形で、青くすんでいること。

青くすみきったいど水のような心、ということで〈まごころ〉の意味をあらわす。

となえかた

情
チョン　チョン
たてぼう
(りっしんべん)

情
よこ　たて
よこ　よこ

情
月をかく

クイズ　情けは□のためならず　□に入るのは？　①親　②人　③子

心（こころ）の部・7画
左右型／ヽ（てん）

- **くん** こころよい　高原のすんだ空気が、とても**快**い。
　　　　　　　　姉はいつも、**快**くぼくに本を貸してくれる。
- **おん** カイ　　　先週末は遊園地で、愉**快**な一日をすごした。
　　　　　　　　快速列車だと、各駅停車の列車より十分も早く着く。

- **いみ** ❶**こころよい・きもちがよい** ● 快活・快感・快挙・快勝・快晴・快調・快適・快報・快楽・豪快・痛快・不快・明快・愉快　❷**びょうきがよくなる** ● 快気祝い・快復・快方・全快　❸**はやい** ● 快走・快足・快速

なりたち

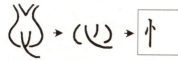

心臓の形で、心のこと。

刃物を手に持つ形で、切りひらくこと。

ものの一部をきりひらくように、心がひらかれて、はればれすることから〈**こころよい・きもちがよい**〉という意味をあらわす。

となえかた

快　チョン　チョン
　　たてぼう
　　（りっしんべん）

快　ユをかいて

快　うえからとおした人をかく

きを つけよう　「**快**い」は「**快**よい」としない。

心（こころ）の部・14画
左右型／丶（てん）

くん なれる　そろばんの使い方に**慣れる**のに、半月かかった。
　　　ならす　泳ぐ前に冷たいシャワーを浴びて、からだを水に**慣らす**。
おん カン　　早起きの**習慣**をつけると、朝食がおいしくなる。
　　　　　　まんがと写真でわかる、**慣用句**の辞典を買った。
　　　　　　わが家の正月の**慣例**は、元旦に神社に参拝することだ。

いみ くりかえしおこなって、よくなれる・ならわし ● 足慣らし・場慣れ・不慣れ・慣行・慣習・慣性・慣用・慣用句・慣用語・慣例・旧慣・習慣

なりたち

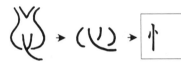

心臓の形で、心のこと。

貝に穴をあけて、つきとおした形で、つらぬくこと。

心をかえず、同じおこないをつらぬきとおすと、なれてくることから〈なれる・ならわし〉の意味をあらわす。

となえかた

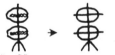

チョン　チョン
たてぼう
（りっしんべん）

たて　まげ
かぎて

たてしきり

よこぼう
かいたら

したにどっしり
貝をかく

クイズ　□うより慣れよ　□に入るのは？　①言　②習　③笑

心(こころ)の部・7画
□その他型／ヽ(てん)

くん こたえる　マラソン選手が、声援に**応**えてスピードを上げる。
おん オウ　　午後の部になってから、赤組の**応**援がにぎやかだ。
　　　　　　　雑誌のクイズに**応**募する。
　　　　　　　どうしても、最小公倍数の**応**用問題が解けない。
　　　　　　　ハンカチを使って、けがの**応**急手当てをする。

いみ ❶こたえる・あいてになる→応援・応接・応戦・応対・応答・応募・呼応・反応　❷つりあう・ふさわしい→応分・相応・対応・適応　❸あてはめる→応急・応用

●**読み方に注意**…「反応」「順応」などのときは、「応」は「のう」と読む。

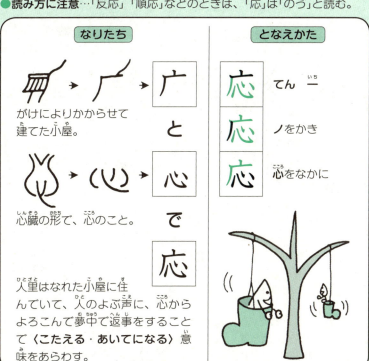

| なりたち | となえかた |

がけによりかからせて建てた小屋。

心臓の形で、心のこと。

人里はなれた小屋に住んでいて、人のよぶ声に、心からよろこんで夢中で返事をすることで〈こたえる・あいてになる〉意味をあらわす。

応　てん　一
応　ノをかき
応　心をなかに

クイズ　臨□応変　□に入るのは？　①機　②時　③海

心(こころ)の部・14画
上下型／ノ(ななめぼう)

くん ——
おん タイ　きみは**生活態度**は悪いけど成績はいいねと先生にいわれた。
クジャクのオスの**姿態**は美しい。
山村と漁村の、食事や労働内容などの**生活形態**をくらべる。

いみ ❶**すがた・ありさま・ようす**●態様・旧態・形態・姿態・事態・失態・実態・状態・常態・生態・変態・容態　❷**心がまえ・身がまえ**●態勢・態度

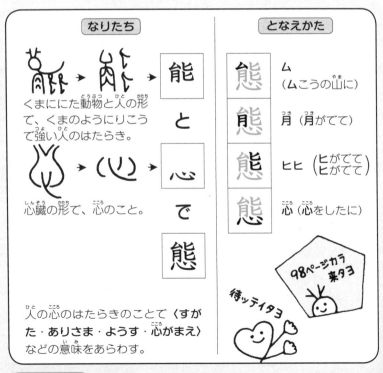

きを つけよう　態と似ている字…熊

心(こころ)の部・7画
上下型／一(よこぼう)

くん こころざす　アムンゼンは医学を修めたのち、探検家を**志**した。
　　 こころざし　兄は音楽家になろうと、**志**をたてたらしい。
おん シ　　　　　一度決めたことは、強い意**志**をもってやりぬこう。

いみ 心がもくてきにむかう・こころざす・こころざし●志願・志気・志向・志士・志望・意志・遺志・初志・寸志・大志・同志・有志・立志伝

なりたち

前へ進む足と、心臓の形。

心が、ある目標に向かって進んでいくことから〈こころざす〉の意味をあらわす。

となえかた

志　よこ
志　たて
志　みじかいよこぼうかいて
志　したに心をどっかりつける

きを　つけよう　「**志**す」は「**志**ざす」としない。

肉(にく)の部・8画
左右型／ノ(ななめぼう)

- **くん** こえる　牧場で、まるまると**肥え**た子ブタのレースをみた。
- こえ　江戸時代、農村の畑には、下**肥**がよく使われた。
- こやす　美術館に行って、本物の名画をみて、目を**肥やす**。
- こやし　生ごみから作った**肥やし**て、ナスを育てる。
- **おん** ヒ　はち植えのバラには、定期的に**肥料**をあたえる。

いみ ❶こえる・からだがふとっている・土地がこえている ● 肥大・肥土・肥満・肥沃　❷こやし ● 下肥・基肥・肥料・化学肥料・魚肥・金肥・施肥・追肥・緑肥

きを　つけよう　「肥やし」は「肥し」としない。

肉(にく)の部・10画
左右型／ノ(ななめぼう)

くん ——
おん ミャク

祖母は毎日、朝と夜、血圧と**脈拍**をはかっている。
アルプス**山脈**の最高峰、モンブランの美しい写真。
主人公のことばの意味を、**文脈**にそって考えよう。

いみ ❶みゃく・血管●脈動・脈拍・血脈・静脈・動脈・命脈 ❷すじ・すじになってつづくもの●脈脈・脈絡・金脈・鉱脈・山脈・水脈・文脈・葉脈・乱脈

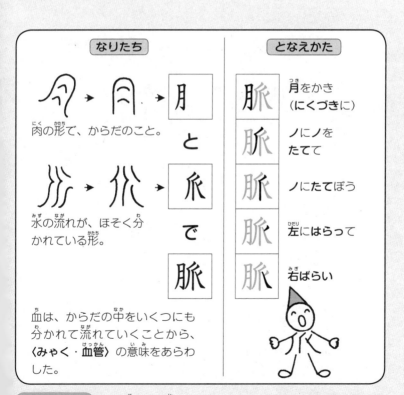

(なりたち)

肉の形で、からだのこと。

水の流れが、ほそく分かれている形。

と

で

脈

血は、からだの中をいくつにも分かれて流れていくことから、〈みゃく・血管〉の意味をあらわした。

(となえかた)

脈 — 月をかき(にくづきに)
脈 — ノにノをたてて
脈 — ノにたてぼう
脈 — 左にはらって
脈 — 右ばらい

(きを つけよう) 脈と似ている字…派

87

力(ちから)の部・8画
左右型／丶(てん)

くん きく　この薬はかぜのひきはじめにのむと、よく**効く**。
ぼくがかいたポスターが**効いて**、おじの芝居は満員だった。

おん コウ　薬をつかうときは、**効能**書きをよく読む。
水が落ちる力を**有効**につかって、発電をおこなう。

いみ **ききめ・あることをしたしるし** ● 効果・効験・効能・効用・効率・効力・時効・失効・実効・即効・速効・特効薬・無効・薬効・有効

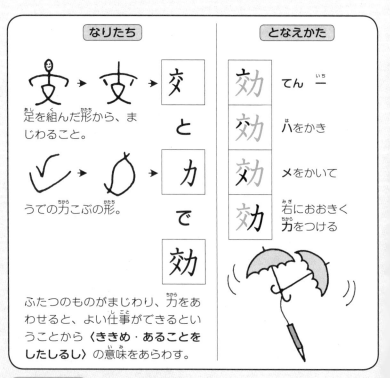

なりたち

足を組んだ形から、まじわること。

うでの力こぶの形。

交 と 力 で 効

ふたつのものがまじわり、力をあわせると、よい仕事ができるということから〈**ききめ・あることをしたしるし**〉の意味をあらわす。

となえかた

効　てん 一
効　ハをかき
効　メをかいて
効　右におおきく力をつける

つかいわけ　薬が**効く**。気が**利く**。

力(ちから)の部・11画
左右型／一(よこぼう)

くん つとめる　なぜか、わたしが学級会で議長を務めることになった。
　　　　　　　　劇で主役を務めるのは、一人ではなく三人いる。
　　　つとまる　司会者という大役は、わたしには務まりそうもない。
おん ム　　　　父は駅前にある信用金庫に勤務している。
　　　　　　　　試合ではゴールキーパーという、だいじな任務を果たす。

いみ つとめ・やくめ・しごと ● 外務・義務・急務・業務・勤務・激務・公務・国務・雑務・残務・実務・事務・乗務員・職務・政務・責務・専務・総務・内務・任務・服務・用務・労務

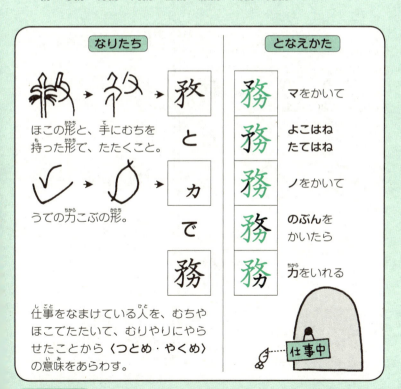

なりたち

ほこの形と、手にむちを持った形で、たたくこと。

うでの力こぶの形。

仕事をなまけている人を、むちやほこでたたいて、むりやりにやらせたことから〈つとめ・やくめ〉の意味をあらわす。

となえかた

マをかいて
よこはね
たてはね
ノをかいて
のぶんをかいたら
力をいれる

つかいわけ　リーダーを務める。成績向上に努める。会社に勤める。

力(ちから)の部・13画
上下型／一(よこぼう)

くん いきおい　勢いよく自転車のペダルをふんで、坂をのぼる。
　　　　　　　　うちわで風を送ると、火の勢いが強まる。
おん セイ　　　台風の勢力はしだいにおとろえて、風も弱まってきた。

いみ ❶いきおい・ちから ● 勢力・威勢・火勢・加勢・気勢・軍勢・攻勢・総勢・多勢　❷ありさま・ようす・なりゆき ● 運勢・形勢・姿勢・時勢・情勢・態勢・地勢

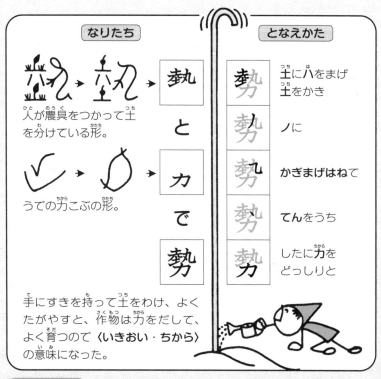

90　きを　つけよう　「勢い」は「勢おい」としない。

犬(いぬ)の部・9画
左右型／ノ(ななめぼう)

- **くん** ひとり　兄はこの春、家を出て、晴れて**独り立ち**する。
- **おん** ドク　秋の発表会で、バイオリンの**独奏**をすることになった。
バチカンは、世界最小の**独立**した国家だ。

いみ ひとり・ただひとつ●独り言・独り占め・独り立ち・独りぼっち・独演・独学・独裁・独自・独習・独唱・独身・独占・独善・独奏・独創・独断・独特・独立・独力・独居・独行・孤独

さんこう　ドイツを漢字で書くと　独。

犬（いぬ）の部・5画
左右型／ノ（ななめぼう）

- **くん**（おかす）　法律を犯すようなことは、ぜったいにしてはならない。
- **おん** ハン　うっかりひもを引いて、**防犯**ブザーが鳴った。
　　　　　いろいろな人が集まる都会には**犯罪**が多いといわれる。
　　　　　市内で起きていた連続放火事件の**犯人**がつかまった。

いみ つみをおかす・きまりをやぶる ● 犯意・犯行・犯罪・犯人・違犯・共犯・再犯・主犯・初犯・戦犯・防犯

きを つけよう　「犯す」は「犯かす」としない。

犬(いぬ)の部・7画
左右型／｜(たてぼう)

くん ——
おん ジョウ

祖母の**健康状態**は良好で、前より顔色もよくなった。
改札のわきにいる駅員さんに、列車の**運行状況**をきく。
図工の時間に、木ぼりの**状差し**を作った。

いみ ❶**すがた・かたち・ありさま** ●状況・状勢・状態・異状・液状・球状・行状・現状・実状・情状・白状・波状・病状 ❷**かきつけ・手紙** ●状差し・状袋・案内状・賞状・招待状・書状・年賀状・免状・礼状

なりたち

木をわってつくった寝台の形。

犬の形。

犬のねそべったすがたが、長い寝台のようにみえる、というところから〈**すがた・かたち・ありさま**〉の意味をあらわした。また、ありさまをのべることから〈**かきつけ・手紙**〉の意味をあらわす。

となえかた

たてぼうに

ンをつけ

犬の字かいて

かたにてん

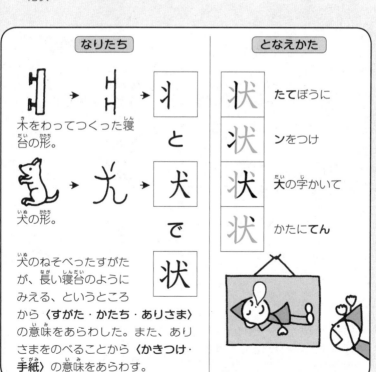

きを つけよう　状の「犬」の「ヽ」をわすれずに書く。

角(つの)の部・13画
左右型／ノ(ななめぼう)

くん とく　兄は記憶力はいいが、クイズの問題を**解**くのは苦手だ。
　　　とかす　新品のブラシで、かみを**解**かす。
　　　とける　ゆかたのおびが**解**ける。
　　　　　　　クイズの複雑な暗号が**解**けた。
おん カイ　百人一首の和歌の意味を**理解**するのは、むずかしい。
　　　(ゲ)　高熱で食事や水分もとれないときは、**解熱剤**を飲む。

いみ ❶とく・ばらばらにする ● 雪解け・解禁・解散・解除・解消・解体・解任・解放・解剖・解毒・解熱・分解・和解　❷わかる ● 解決・解説・解答・解読・解明・曲解・見解・誤解・図解・正解・難解・弁解・明解・理解・了解

なりたち

けものの、つのの形。

刀と、牛の頭の形。

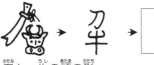

刀で、牛のつのを切りはなすことから〈とく・ばらばらにする〉の意味をあらわした。

となえかた

解　クにノをたてて　かぎはねて
解　たてぼうかいて　よこ2本
解　刀をつけたら
解　牛をかく

つかいわけ　計算問題の**解答**。アンケートの**回答**。

羊(ひつじ)の部・13画
上下型／丶(てん)

おん ギ　兄は**正義**感が強く、将来は警察官になりたいそうだ。
パラリンピックに出場した、**義足**のランナーの物語を読む。

いみ ❶人としてしなければならないこと●義務・義理・主義・正義・道義　❷よのなかのためにつくす●義士・義憤・義民・義勇軍　❸血のつながりのない親子兄弟の関係●義兄弟・義父・義母　❹わけ・いみ●意義・広義・講義・字義・定義　❺ほんもののかわり●義眼・義歯・義手・義足

なりたち

羊の顔の形。

手とほこの形。

羊のように美しく、しかも手にほこを持つりっぱな人ということから、礼にかなったすがたをあらわし、〈人としてしなければならないこと〉の意味になった。

となえかた

義　ソ 一に
義　たてで よこ2本
義　ノ 一に
義　たてはね もちあげて
義　そしてさいごに たすきにてん

きを つけよう　義の「我」の「丶」をわすれずに書く。

非(あらず)の部・8画
左右型／ノ(ななめぼう)

くん ——
おん ヒ　今日は朝から歩きどおしだったので、**非常**につかれた。
　　　三組の教室は**非常口**が近い。
　　　兄の無責任な態度は、**非難**されてもしかたがない。

いみ ❶〜てない・〜とちがう・うちけしのことば●非科学的・非公開・非公式・非公認・非合法・非合理・非常・非情・非常口・非常識・非番・非礼　❷よくない・正しくない・あやまち●非行・非道・非難・是非・前非

なりたち

ひろげた鳥のつばさが、左右で反対向きになる形。

ひろげた鳥のつばさが、左右で反対のほうを向いていることから〈〜てない・〜とちがう〉の意味をあらわした。

となえかた

非　たてたノに
非　よこぼう3本
非　たてぼうかいて
非　右にもならべてよこ3本

クイズ　極悪非□　□に入るのは？　①常　②道　③情

隹(ふるとり)の部・14画

左右型／ノ(ななめぼう)

くん ——

おん ザツ　中学生の姉は、毎月、ファッションの**雑**誌を買う。
　　　　休み時間に友だちと**雑**談をする。
　　　ゾウ　**雑**木林にはいろいろな虫がいて、散歩するのが楽しい。
　　　　正月は、毎日のように**雑**煮を食べたので太ってしまった。

いみ ❶まじる・いろいろなものがまとまりなくあつまっている●雑音・雑貨・雑学・雑感・雑居・雑誌・雑種・雑集・雑然・雑多・雑談・雑念・雑木・雑煮・混雑・複雑・乱雑・雑魚　❷あまり重要でない こまかいこと●雑草・雑務・雑用・雑巾　❸おおざっぱ●粗雑

●特別な読み…(雑魚)

なりたち

佥隹 → 杂隹 → 雑

きもののえりの形で衣装のことと、尾の短い鳥と木の形で集めること。

さまざまな色やもようの布を集めてつくった衣装のことから〈いろいろなものがあつまっている・まじる〉の意味をあらわす。

となえかた

九	すう字の**九**に
朮	**木**をつけて
雉	**イ**に **てん**　**一**で
雑	たておろし
雑	よこぼう**3本** おわりを**ながく**

クイズ　□口雑言　□に入るのは？　①悪　②善　③多

肉(にく)の部・10画
左右型／ノ(ななめぼう)

くん ——
おん ノウ

父は**運動能力**がすぐれている。
姉は絵の**才能**にめぐまれているが、音楽は苦手だ。
テストで満点をとる**可能性**は、かぎりなく低い。

いみ ❶**よくできる・はたらき** ● 能書き・能筆・能弁・能率・能力・可能・機能・技能・効能・才能・性能・知能・万能・放射能・本能・有能 ❷**能楽・芸能** ● 能楽・能狂言・能面・能役者・芸能・芸能界・芸能人

なりたち

くまににた動物の形と、人の形。

くまのように、りこうで強い性質をそなえている人のことから〈よくできる・はたらき〉の意味をあらわした。

となえかた

能 — ムをかき
能 — 月かき
能 — ノにたてまげはねをふたつかく

84ページへでかけてね

クイズ 全□全能 □に入るのは？ ①知 ②面 ③部

豕(ぶた)の部・12画
□その他型／ノ(ななめぼう)

くん ——
おん ショウ　担任の先生は、初対面の印象よりも楽しい人だった。
　　　　　　物の形をかたどってつくった字を、象形文字という。
　　　　ゾウ　アフリカ象は耳が三角形で大きく、背中がくぼんでいる。

いみ ❶ソウ●象牙　❷かたち・すがた●象形文字・象徴・印象・気象・現象・事象・対象・万象

なりたち

動物の〈ぞう〉のこと。この字が、ぞうの形をかたどってつくられた字なので〈かたち・すがた〉などの意味もあらわす。

となえかた

象	クをかいて
象	たて　かぎ しきり
象	そこふさぎ
象	ノに たてまげはねて
象	ノノとつづけて 左右にはらう

つかいわけ　小学校高学年が対象。性格が対照的だ。

貝(かい)の部・10画
左右型／1(たてぼう)

くん ——

おん ザイ
- 火事はぼやですんだので、**家財**道具は全部無事だった。
- 近所の神社は、県指定の**文化財**だ。
- 祭りの夜店で**散財**した。

(**サイ**)
- **財布**をひろったので、学校の近くの交番にとどけた。

いみ ❶たから・ざいさん ●財貨・財界・財源・財産・財政・財閥・財布・財宝・財力・家財・散財・私財・借財・浄財・文化財 ❷やくにたつもの ●資財

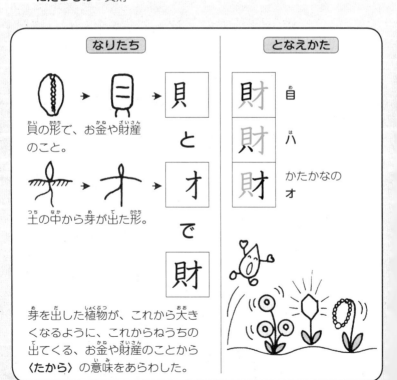

なりたち

貝の形で、お金や財産のこと。

土の中から芽が出た形。

芽を出した植物が、これから大きくなるように、これからねうちの出てくる、お金や財産のことから〈たから〉の意味をあらわした。

となえかた

財　目
財　ハ
財　かたかなのオ

きを つけよう　財の「貝」を「見」としない。

100

貝(かい)の部・12画
左右型／1(たてぼう)

くん ——
おん チョ

お年玉は、ぜんぶ**貯金**した。
貯蓄は多いほうが安心だ。
日照り続きで、**貯水池**の水が少なくなってきたそうだ。
万が一のときのために、食料を**貯蔵**する。

いみ ためる・たくわえる ● 貯金・貯水池・貯蔵・貯蓄・貯木

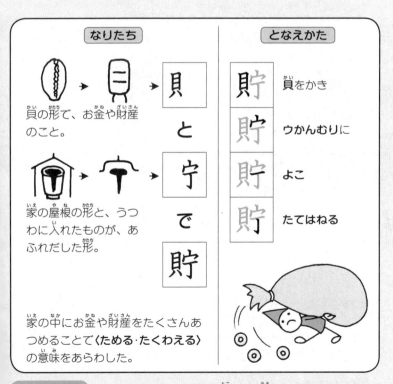

きを つけよう 貯の「丁」のたてぼうは、横ぼうの上につきてない。

貝(かい)の部・11画
上下型／ノ(ななめぼう)

くん まずしい　リンカーンは、とても**貧**しい家に生まれた。
　　　　　　なんでもすぐに人とくらべるのは、心が**貧**しい人だ。

おん ビン　　主人公は、**貧**乏なんてちっとも苦にしないで生きている。
　（ヒン）　朝食を食べずに学校に行ったら、**貧**血をおこした。
　　　　　　戦前の日本は、**貧**富の差がとてもはげしかった。

いみ ❶**まずしい** ● 貧窮・貧苦・貧困・貧者・貧相・貧農・貧富・貧乏・貧民・清貧・赤貧　❷**すくない・たりない** ● 貧血・貧弱・貧力

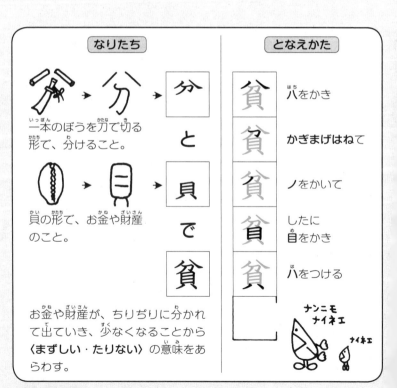

なりたち

一本のぼうを刀で切る形で、分けること。

貝の形で、お金や財産のこと。

分 と 貝 で 貧

お金や財産が、ちりぢりに分かれて出ていき、少なくなることから〈まずしい・たりない〉の意味をあらわす。

となえかた

貧　ハをかき
貧　**かぎまげはねて**
貧　ノをかいて
貧　したに目をかき
貧　ハをつける

ナンニモ
ナイネエ

ナイネエ

さんこう　貧の反対の意味の字…富

貝(かい)の部・15画
上下型／一(よこぼう)

くん ──

おん サン

芸術家の新しい作品に、たくさんの**賛辞**がおくられた。
わたしのピアノの演奏を、みんなが**絶賛**してくれた。
意見に**賛成**の人は、手をあげてください。
立候補者の演説は、**自画自賛**ばかりで内容がない。

いみ ❶ほめる・たたえる ● 賛歌・賛辞・賛嘆・賛美・自画自賛・称賛・賞賛・絶賛 ❷同じ考えをもつ ● 賛助・賛成・賛同・賛否・協賛

なりたち

 → 夫夫

一人前の男が、二人ならんだ形。

(貝) → 目 → 貝

貝の形で、品物のこと。

と

で

賛

りっぱな品物を持ってたずねていった人に、むかえた人がその品物をほめ、おかえしの品をわたすというところから〈ほめる・同じ考えをもつ〉などの意味をあらわす。

となえかた

賛　ニ　人
賛　ニ　人で
賛　貝をかく

クイズ　自□自賛　□に入るのは？　①画　②絵　③書

103

貝(かい)の部・15画
上下型／ノ(ななめぼう)

くん ——
おん シツ　日本の自動車は**品質**がよいといわれている。
　　　　質問に答える。
　（シチ）**質屋**は、品物をあずかってお金を貸す商売だ。
　（チ）　テストが満点ならパソコンを買うとの**言質**を、父からとる。

いみ ❶やくそくのしるし●質入れ・質屋・人質　❷もののなかみをつくっているもの●質量・悪質・実質・品質・物質・本質・良質　❸たち・うまれつき●気質・資質・神経質・性質・素質・体質　❹かざりけがない●質実・質素　❺ただす●質疑応答・質問

(なりたち)　　　　　　　　　(となえかた)

おのを二つならべた形で、つりあうこと。

と

貝の形で、お金のこと。

で

質

あずけた品物と、同じねうちのお金をかりるということから〈やくそくのしるし・もののなかみをつくっているもの〉の意味をあらわす。

質	ノノ よこ たてを ふたつかき
質	目のしたに
質	ハをつける

クイズ　質□応答　□に入るのは？　①疑　②問　③実

貝（かい）の部・11画
上下型／一（よこぼう）

くん せめる　人のあやまちを、ひどく**責める**のはよくない。
おん セキ　一人一人が自分の行動に**責任**をもつことが大切だ。
　　　　試合では、ゴールキーパーとしての**責務**を忠実に果たす。

いみ
❶せめる・とがめる●責め苦・水責め・自責・叱責・面責・問責
❷せきにん・その地位の義務●責任・責務・引責・重責・職責・文責・免責

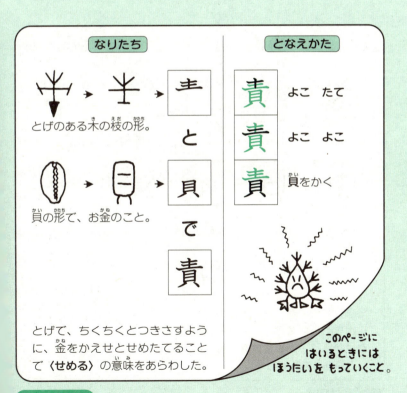

なりたち

とげのある木の枝の形。

貝の形で、お金のこと。

圭 と 貝 で 責

とげで、ちくちくとつきさすように、金をかえせとせめたてることで〈せめる〉の意味をあらわした。

となえかた

責　よこ　たて
責　よこ　よこ
責　貝をかく

このページにはいるときにはほうたいをもっていくこと。

きを　つけよう　責の「貝」を「見」としない。

貝(かい)の部・12画
上下型／ノ(ななめぼう)

くん ——
おん ボウ

日本は**貿易**によって、多くの国とかかわりあっている。
原料を輸入して、製品を輸出することを**加工貿易**という。
神戸港は、世界でも有数の**貿易港**だ。

いみ 品物をとりかえる・おたがいに売り買いをする ● 貿易・貿易額・貿易業・貿易港・貿易商・貿易船・貿易品・貿易風

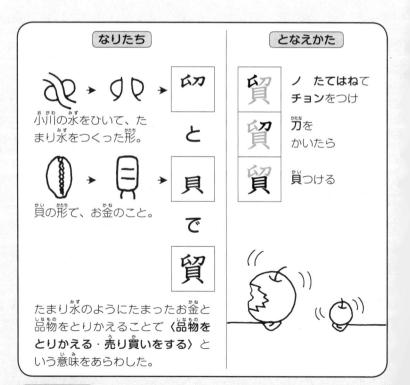

きを つけよう　貿の「刀」を「力」としない。

貝(かい)の部・12画
上下型／一(よこぼう)

くん （ついやす）　市立図書館は、半年の月日を**費**やして完成した。
　　　（ついえる）　石油資源はおそかれ早かれ、いつか**費**える日がくる。
おん ヒ　　　　　日ごろから、時間を**空費**しない心がけをもつ。
　　　　　　　　　生産、流通、**消費**のつながりを、経済という。

いみ ❶ついやす・つかってへらす●空費・出費・消費・浪費　❷必要なおかね●費用・会費・給食費・経費・工費・公費・雑費・実費・私費・食費・旅費

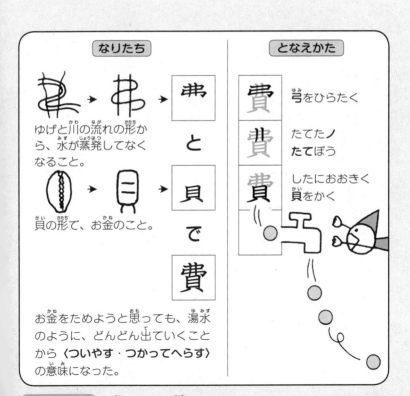

なりたち

ゆげと川の流れの形から、水が蒸発してなくなること。

と

貝の形で、お金のこと。

で

費

お金をためようと思っても、湯水のように、どんどん出ていくことから〈ついやす・つかってへらす〉の意味になった。

となえかた

弓をひらたく

たてたノ
たてぼう

したにおおきく
貝をかく

きを つけよう　「**費**やす」は「費す」としない。

貝(かい)の部・13画
上下型／、(てん)

くん ——
おん シ

日本は**天然資**源の少ない国といわれている。
政府は、被災地に**救援物資**を送ることを決定した。
姉は、保育士の**資格**をとるために勉強している。
夏休みの自由研究のために、地域の歴史の**資料**を集める。

いみ たから・もと・もとで ● 資格・資金・資源・資材・資産・資質・資本・資料・資力・外資・学資・合資・出資・投資・物資・融資

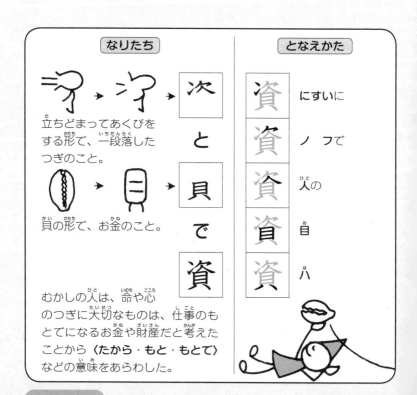

なりたち

立ちどまってあくびをする形で、一段落したつぎのこと。

貝の形で、お金のこと。

次 と 貝 で 資

むかしの人は、命や心のつぎに大切なものは、仕事のもとになるお金や財産だと考えたことから〈たから・もと・もとで〉などの意味をあらわした。

となえかた

資 にすいに
資 ノ フ で
資 人の
資 目
資 ハ

きを つけよう 資の「ン」を「シ」としない。

貝(かい)の部・12画
上下型／ノ(ななめぼう)

くん かす
　妹に本を貸す。
　友だちとお金の貸し借りはしたくない。
　貸し切りバスで、サッカーの合宿にいく。

おん (タイ)
　バスの運転手には、制服が**貸与**される。
　となりに、**賃貸**のアパートが建つらしい。

いみ かす・かし ●貸し方・貸し借り・貸し切り・貸し出し・貸し付け・貸し主・貸本・貸間・貸家・貸借・貸与・賃貸住宅

●**送りがなに注意**…「貸本」「貸間」「貸家」などは、「貸し本」「貸し間」「貸し家」とは書かない。

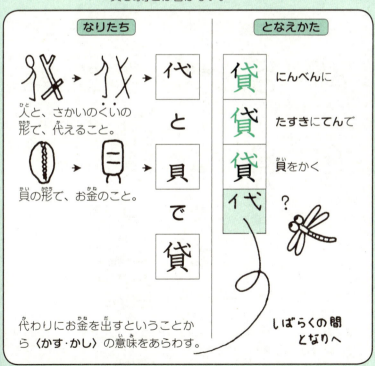

さんこう　貸の反対の意味の字…借

貝(かい)の部・15画
上下型／1(たてぼう)

くん ―
おん ショウ

福引きで三等を当てて、**賞**品のお米をもらった。
ハムの**賞**味期限がとっくにきれている。
家族で県立美術館に行って、名画を**鑑賞**する。

いみ
❶ ほめる・ほうび ● 賞金・賞賛・賞状・賞罰・賞美・賞品・賞与・賞揚・恩賞・激賞・懸賞・参加賞・受賞・精勤賞・大臣賞・入賞
❷ あじわいたのしむ ● 賞味・観賞・鑑賞

なりたち

まどからけむりがでている形。

貝の形で、お金のこと。

てがらをたてた人に、屋根よりも高くのぼるけむりのように、ほうびをたくさんやることから〈ほめる・ほうび〉の意味をあらわす。

となえかた

賞	たて チョン チョン
賞	ワかんむりに
賞	口と
賞	貝

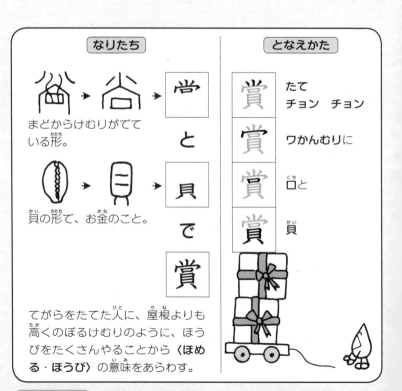

つかいわけ 書き初めで金賞を**受賞**した。ノーベル賞の**授賞**式。

日（ひ）の部・8画
□その他型／｜（たてぼう）

- **くん** やさしい　テストは**易しい**問題だったから、すぐに解けた。
- **おん** エキ　駅前にいる**易者**に、将来を占ってもらう。
　　　　　　日本は、世界の国国と**貿易**をしている。
　　　　イ　この説明書は、**平易**な文章で読みやすい。

いみ ❶**とりかえる・かわる**● 交易・貿易　❷**やさしい・たやすい**● 安易・簡易・難易・平易・容易　❸**うらない・うらなう**● 易学・易者・易断

なりたち

動物のやもりの形。

やもりは、環境にあわせてたやすくひふの色をかえるので〈とりかえる・たやすい〉の意味になった。

となえかた

易　日をかいて
易　ノをかき
易　**かぎを まげてはね**
易　なかに**ふたつの ノをいれる**

さんこう　易の反対の意味の字…**難**

尸(しかばね)の部・12画
上下型／一(よこぼう)

くん ——
おん ゾク

おじいちゃんは、大学の**付属**病院で手術をうけた。
わたしは、小学校の放送委員会に**所属**している。
昔は、木や**金属**に文字をきざみこんで、印刷に使った。

いみ ❶**つく・ついていく** ● 属性・属地・属領・属国・帰属・従属・所属・専属・配属・付属 ❷**しゅるい・なかま・みうち** ● 金属・尊属・部属

クイズ　□に属が入るのは？　①金□　②家□　③連□

木(き)の部・9画
上下型／一(よこぼう)

くん ——
おん サ　わたしたちの町の、人口の変化について**調査**する。
祖母は、市の合唱コンクールの**審査員**をつとめている。
有人潜水調査船で、六千メートルの深海を**探査**する。

いみ ❶しらべる● 査収・査証・査定・査問・監査・検査・考査・審査・捜査・探査・調査・踏査　❷しらべる人● 主査・巡査

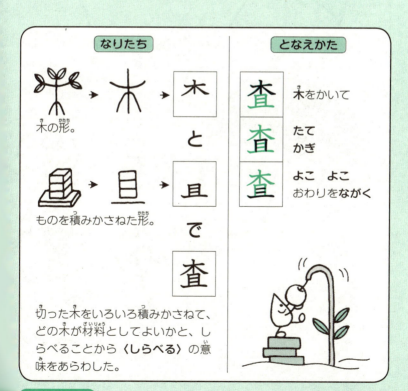

なりたち

木の形。

ものを積みかさねた形。

木と且で査

切った木をいろいろ積みかさねて、どの木が材料としてよいかと、しらべることから〈しらべる〉の意味をあらわした。

となえかた

査　木をかいて
査　たて
　　かぎ
査　よこ　よこ
　　おわりをながく

きを　つけよう　査の「且」を「旦」としない。

貝をわけるとどうなるの？ 102

すきとおった米はどんな米？ 127

ぼうにつかまりさかあがりだって？ 75

わかれ道だとどうなるの？ 73

イズのかさがおりてきた。

こたえは □ のページ

木(き)の部・14画
左右型／一(よこぼう)

くん かまえる　父は二十年前に、小さな古書店を**構**えた。
　　　　　　　　　兄は受験までまだ半年あると、のんきに**構**えている。
　　　かまう　　弟は母をみつけると、なりふり**構**わずかけだした。
おん コウ　　　この絵は**構**図がいいねと、先生にほめられた。
　　　　　　　　　おなかがすいて、駅の**構**内の売店でビスケットを買う。

いみ ❶くみたてる・くみたて・しくみ ● 構図・構成・構想・構造・構築・機構・虚構　❷かまえる・かこみ ● 気構え・心構え・店構え・門構え・構外・構内

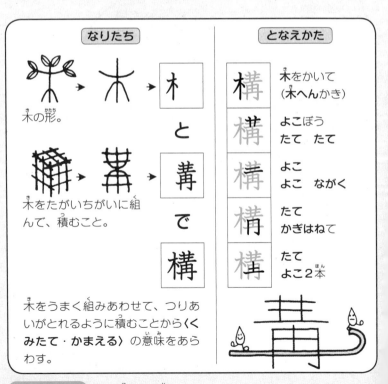

きを　つけよう　　構と似ている字…講

木(き)の部・10画
左右型／一(よこぼう)

くん ——
おん カク　姉が、保育士の**資格試験**に**合格**した。
　　　　この作家は、**格調**の高い文章を書くことで知られている。
（コウ） 城下町には、**格子戸**のある家並みがつづいている。

いみ ❶**きまり・てほん**●格言・規格　❷**みぶん・ていど・ねうち**●格差・格式・格調・資格・人格　❸**ほねぐみ**●格子・骨格・体格　❹**とくべつに・とりわけ**●格段・格別・格安　❺**手でうつ・うちあう**●格技・格闘

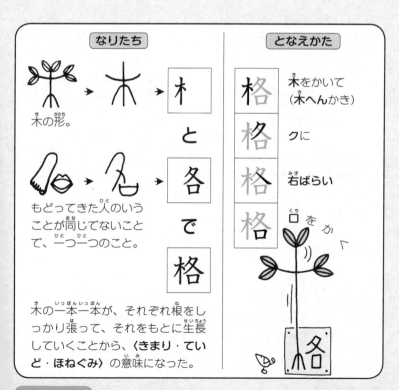

クイズ　格 − 各 + 隹 + 九 = ?

木(き)の部・12画
左右型／一(よこぼう)

くん ——
おん ケン　朝から体がだるいので**検**温してみたが、平熱だった。
合唱コンクールで歌う曲を、みんなで**検**討する。

いみ とりしらべる・けんさする・とりしまる ● 検印・検温・検眼・検査・検札・検察官・検算・検死・検視・検事・検出・検証・検針・検診・検束・検定・検討・検分・検便・検問・探検・点検

なりたち

木の形で、ふだのこと。

集まるしるしと、口と人の形で多くの人の意見を集めること。

木 と 仝 で 検

意見を書いた木のふだを集め、しらべることから〈とりしらべる・とりしまる〉の意味をあらわす。

となえかた

木をかいて（木へんかき）
ひとやね
一　口
人をかく

きを つけよう　検と似ている字…険・験

木(き)の部・10画
左右型／一(よこぼう)

- **くん** さくら　桜は、春のおとずれを告げる花だ。
  桜前線が北上してきた。
  妹はうれしさで、ほおを桜色にそめた。
- **おん** （オウ）　市立公園では四月に観桜会が開かれる。

- **いみ** サクラ●桜色・桜貝・桜狩り・桜前線・桜草・桜吹雪・八重桜・山桜・夜桜・桜花・桜桃・観桜

きを　つけよう　桜と似ている字…桜

木(き)の部・8画
左右型／一(よこぼう)

くん えだ
庭に植えたモモの木の**枝**と葉が、しげってきた。
ここから先は**枝道**になって急に細くなる。
姉は毎朝、鏡に向かって**枝毛**が多くてこまると言う。

おん (シ)
枝葉末節にこだわっていては、大切なことを見失うよ。

いみ
❶木のえだ ● 枝打ち・枝移り・枝葉(枝葉)・枝振り・枝豆・枝頭
❷もとになるものから分かれてでたもの ● 枝毛・枝肉・枝道・枝分かれ・枝葉末節

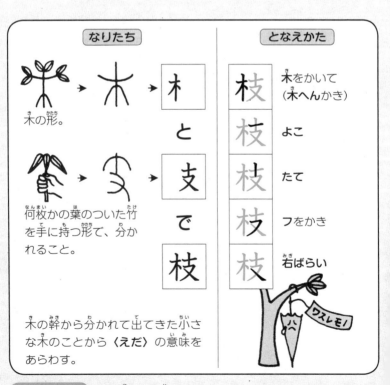

きを つけよう　枝と似ている字…技

片(かた)の部・8画
左右型／ノ(ななめぼう)

くん ―

おん ハン　来年の年賀状は、**版画**で作ることにした。
　　　このまんがは**限定版**で、りっぱな箱に入り、人形もついている。
　　　ぼくの父は、**出版社**に勤めている。

いみ はんぎ・印刷のもとになる板・印刷して本をつくること ●版画・版木・版権・活版・画版・限定版・豪華版・写真版・重版・出版・初版・謄写版・銅版・復刻版・木版

なりたち

木をたてにさいた右がわの形。

手で板をおした形。

と

反

で

版

手でおすと、しなるほどにうすくさいた、字を書く板のことだったが、のちに、印刷するために字や絵をほった〈はんぎ〉の意味になった。

となえかた

版　ノをたてて

版　てん　一に

版　かぎをつけ

版　よこ一　ノをたて

版　フに右ばらい

クイズ　□に版が入るのは？　①□射　②□定　③□画

木(き)の部・7画
上下型／ノ(ななめぼう)

くん ——
おん ジョウ

その小説家は、世の中の**不条理**を物語にした。
ケーキ作りの手順を、**箇条**書きにしてもらう。
一日だけという**条件**で、友だちから本を借りた。

いみ ❶すじ・すじみち●条理・不条理 ❷ひとくぎりずつに分けて書いた文●条項・条文・条約・条令・条例・箇条書き・前条・別条 ❸ことがら●条件・信条

クイズ 条 − 木 + 口 + 田 = ?

竹(たけ)の部・16画
上下型／ノ(ななめぼう)

くん きずく
　川に堤防を**築く**のは、流域を洪水から守るのが目的だ。
　ぼくが通う小学校の木造校舎は、五十年前に**築か**れた。
　おじは結婚して、新しい家庭を**築い**た。

おん チク
　姫路城は、**築城**から四百年以上がたつ。
　図書館にいって、近代**建築**の歴史をしらべた。

いみ きずく・土木工事をすること ● 築城・築造・築港・営築・改築・建築・構築・修築・新築・増築・築山
● 特別な読み…(築山)

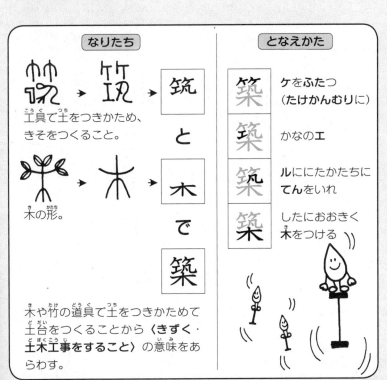

きを つけよう　築の「工」を「土」としない。

禾(のぎへん)の部・12画

左右型／ノ(ななめぼう)

- **くん**（ほど） 学校から百メートル程のところに、小さな本屋さんがある。
- **おん** テイ 工場見学で、製品の製造過程について質問する。
  春の旅行の日程をきめる。
  緊張のため、歌の音程がくるう。

いみ ❶きまり・きそく●規程 ❷みちすじ・みちのり●過程・課程・教程・工程・行程・射程・道程・日程・方程式・里程・旅程 ❸ものごとの度合い●程度・音程

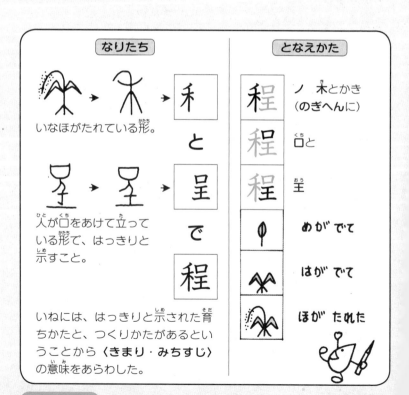

なりたち

いなほがたれている形。

人が口をあけて立っている形で、はっきりと示すこと。

いねには、はっきりと示された育ちかたと、つくりかたがあるということから〈きまり・みちすじ〉の意味をあらわした。

となえかた

- ノ 禾とかき（のぎへんに）
- 口と
- 王
- めがでて
- はがでて
- ほがたれた

きを つけよう 程の「王」を「主」「壬」としない。

禾(のぎへん)の部・11画
左右型／ノ(ななめぼう)

くん うつる　公園のそばにあったケーキ屋さんが、駅前に**移る**そうだ。
　　　うつす　部屋のもよう替えて、つくえを窓ぎわへ**移す**ことにした。
　　　　　　　かぜを弟に**移して**しまった。
おん イ　　庭に池をつくるための花の**移植**に、一日かかった。
　　　　　　　小島さんの一家は、今年の秋に海外に**移住**するそうだ。

いみ うつる・うごく・うつす ● 目移り・移管・移行・移住・移出・移植・移籍・移転・移動・移入・移変・移民・推移・転移

つかいわけ　家具を**移動**する。先生が別の小学校に**異動**になる。

禾(のぎへん)の部・12画
左右型／ノ(ななめぼう)

くん ──
おん ゼイ　車を持つのには、いろいろな**税金**がかかる。
空港の**免税**店で、友だちへのおみやげを買う。
奈良時代の農民たちは、三種類の**重税**に苦しんだ。

いみ ぜいきん ● 税額・税関・税金・税制・税務署・税理士・印税・課税・関税・間接税・減税・重税・租税・脱税・地方税・直接税・納税・物品税・免税

なりたち

いなほがたれている形。

と

人が口をあけて、わらっている形で、よろこぶこと。

で

税

いつもしぶい顔の役人も、ねんぐの米をみるとよろこんだということから〈ぜいきん〉の意味をあらわした。

となえかた

税　ノ　木とかき
（のぎへんに）

税　ソに

税　兌をかく

きを つけよう　税の「ル」を「ル」としない。

米(こめ)の部・14画
左右型／ヽ(てん)

くん ——
おん セイ　　精神を集中させるときは、目をつぶって深呼吸をする。
　　　　　　　このうで時計は裏側もガラスで、精巧なつくりが見える。
　（ショウ）　精進料理では、肉や魚をつかわない。

いみ ❶米や麦をついて白くする●精白・精麦・精米　❷まじりけをなくすこと●精製・精選・精糖　❸もっぱら・うちこむ●精進・精勤・精励　❹くわしい・こまかい●精巧・精算・精通・精度・精読・精密　❺こころ・たましい●精一杯・精神・精力・精霊　❻すぐれたもの・よりすぐったもの●精鋭・精選

なりたち

 → 米

いなほがたれている形で、米のこと。

と

 → 青

草と、いどの形で、青くすみきっていること。

ぬかをとりのぞいて、すみきった米にすることから〈白くする〉の意味になり、さらに、うすで玄米をいっしょうけんめいつくことから〈うちこむ〉の意味をあらわした。

→ 精

となえかた

精	ソ
精	米とかき（米へんに）
精	よこ　たて よこ　よこ
精	月をかく

つかいわけ　乗り越し運賃を精算する。借金を清算する。

米(こめ)の部・10画
左右型／丶(てん)

くん こ　パンは、**小麦粉**、水、イースト、塩などを材料としてつくる。
　　こな　きのうの夜から、**粉雪**がしんしんとふりつづいている。
　　　　コンクリートの地面におとした皿が、**粉みじん**にわれた。
おん フン　ミツバチは、みつや**花粉**を集めて、巣にもどる。

いみ こな・こまかくくだいたもの● 粉薬・粉炭・粉みじん・粉雪・小麦粉・火の粉・粉骨砕身・粉砕・粉食・粉乳・粉末・花粉・金粉・受粉・製粉

なりたち

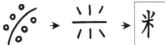

いなほがたれている形で、米のこと。

ぼうを刀で二つに切る形で、分けること。

米 と 分 で 粉

米などのこくもつを、こまかくくだき、分けることから〈**こな・こまかくくだいたもの**〉の意味をあらわす。

となえかた

粉　米へんに
　　（ソ 木とかき）

粉　八をかいたら

粉　刀をしたに

きを　つけよう　　粉と似ている字…紛

母（はは）の部・8画
上下型／一（よこぼう）

くん ――

おん ドク　毒虫にさされたらしく、手の甲が赤くはれあがった。
毒にも薬にもならない話。
毒をもって毒を制する。
つゆどきは食べ物がいたみやすいので、食中毒に気をつける。

いみ ❶どく●毒殺・毒素・毒草・毒物・毒味（毒見）・毒虫・毒矢・毒薬・解毒・消毒・食中毒・中毒・有毒　❷わるいもの・心をきずつけるもの●毒牙・毒舌・毒婦・害毒

なりたち

草の芽が出た形。

お母さんの形。

と

母

で

毒

母親が子どもをうむように、草から草がどんどん生まれ、しげりすぎると、作物に害をあたえることから〈どく〉の意味をあらわす。

となえかた

毒	よこ　たて よこ　よこ
毒	くに **かぎまげはねて**
毒	**なかをしきって**
毒	**よこぼうとおす**

きを　つけよう　毒の「母」を「母」としない。

ツ(つ)の部・12画
上下型／丶(てん)

- **くん** いとなむ　　わが家は、祖父の代から書店を**営ん**でいる。
- **おん** エイ　　　　キャンプ場にテントを張って、**野営**する。
  改装していたスーパーが、来週から**営業**を再開する。

いみ ❶**すまい・軍隊などがすむところ**●陣営・兵営・野営　❷**いとなむ・いとなみ**●営業・営利・運営・経営・公営・国営・市営・私営・設営・造営・直営

なりたち

家のまわりを、かがり火で照らしている形。

かがり火で照らした家ということから〈**すまい**〉。さらにその家の中で生活することから〈**いとなむ・いとなみ**〉などの意味もあらわした。

となえかた

営	ツ
営	ワ
営	ロ
営	ノ
営	ロ

きを　つけよう　「**営む**」は「営なむ」としない。

人(ひと)の部・8画
上下型／ノ(ななめぼう)

くん ──
おん シャ　校舎の入り口は三つある。
牛舎から鳴き声がきこえてくる。
町には、古い木造の駅舎が、まだ残っている。

いみ いえ・たてもの● 舎監・舎宅・駅舎・学舎・官舎・寄宿舎・牛舎・校舎・宿舎・庁舎・兵舎・牧舎・田舎
●**特別な読み**…(田舎)

なりたち

柱と屋根だけでできている「あずまや」の形。

あずまやは、休んだり、とどまったりする建物なので、〈いえ・たてもの〉の意味をあらわす。

となえかた

ひとやねに

よこ　たて
よこで

口をかく

きを　つけよう　舎の「土」を「士」としない。

131

人(ひと)の部・7画
上下型／ノ(ななめぼう)

くん あまる　今日は欠席者が多く、給食のミカンが六個**余**った。
　　　　　　この難問は、わたしの手に**余る**。
　　　あます　今年も**余す**ところ、あと一週間となった。
おん ヨ　　ノートをわすれてきたので、広告の**余白**にメモをとった。
　　　　　　今回つかまった犯人には、**余罪**があるらしい。

いみ ❶**あまる・あまり・のこり**●余韻・余暇・余寒・余興・余計・余生・余地・余熱・余白・余分・余裕・余力・残余　❷**そのほか**●余儀・余罪・余人・余念・余病　❸**わたくし**●余

132　**きを つけよう**　余の「示」を「示」としない。

广（まだれ）の部・7画
□その他型／丶（てん）

くん ——
おん ジョ

自己紹介で話す内容の**順序**を、あらかじめ考えておく。
姉は、中学の卒業文集の**序文**を書くことになった。
年末の寒さなんて、まだ**序の口**だ。
秩序ある行動をすることが大切だ。

いみ ❶はじめのぶぶん・いとぐち ●序曲・序章・序説・序の口・序盤・序文・序幕・序論・自序 ❷じゅんばん・じゅんじょ ●序列・順序・秩序

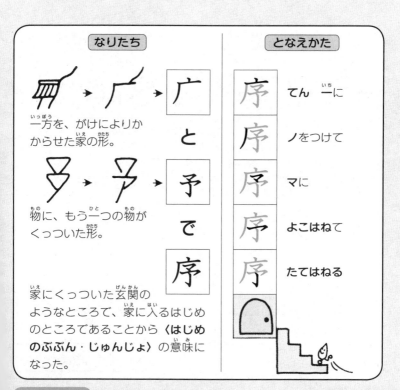

きを つけよう　序の「予」を「矛」としない。

宀(うかんむり)の部・10画
上下型／丶(てん)

くん ―
おん ヨウ

先生の話をよくきいて、その**内容**をしっかり理解する。
水とうの**容量**を調べる。
母が通っている**美容**院へ、かみを切りにいく。
ガンジーは、**寛容**の精神をつらぬいた人だ。

いみ ❶なかにいれる・なかみ●容器・容積・容量・内容 ❷すがた・かたち●容姿・容色・美容 ❸ききいれる・ゆるす●容認・寛容・許容・包容力 ❹たやすい●容易

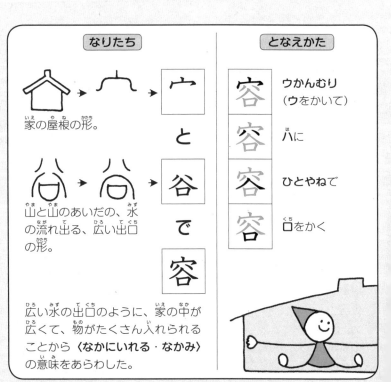

なりたち

家の屋根の形。→ 宀 と

山と山のあいだの、水の流れ出る、広い出口の形。→ 谷 で 容

広い水の出口のように、家の中が広くて、物がたくさん入れられることから〈なかにいれる・なかみ〉の意味をあらわした。

となえかた

ウかんむり（ウをかいて）
ハに
ひとやねで
口をかく

クイズ　容 − 谷 + 各 + 頁 = ？

宀（うかんむり）の部・11画
上下型／丶（てん）

くん よる
暑いので、エアコンのそばへ**寄**る。
敬老の日なので、学校帰りに、祖母の家へ**寄**る。

よせる
寄せては返す波をみつめる。
改築中、おじの家に身を**寄**せる。

おん キ
横浜港は、大型客船が**寄港**する港として知られる。
学校で集めた募金は、災害地へ**寄付金**としておくられる。

いみ ❶よる・たちよる・よせる・たよる ● 寄せ書き・寄り道・寄港・寄宿舎・寄生・寄留・最寄り・寄席 ❷ものをとどける・おくる ● 寄進・寄贈(寄贈)・寄付

●**特別な読み**…(数寄屋・最寄り・寄席)

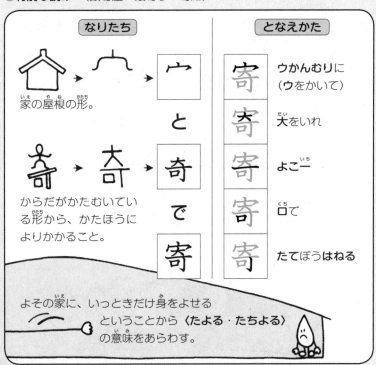

クイズ　　**寄**らば大□の陰　□に入るのは？　①人　②木　③樹

口(くにがまえ)の部・6画
その他型／1(たてぼう)

- **くん** （よる） 成功するかどうかは、ぼくたちの努力いかんに**因**る。
- **おん** イン 警察が、火事の**原因**を調べはじめている。
  勝因は、チームワークの良さと、練習量だと思う。
  因習にとらわれず、新しいことをやるのは勇気がいる。

いみ ❶よる・たよる・したがう●因習・因襲 ❷おこり・もと●因果・因子・因縁・遠因・起因・原因・勝因・敗因・要因

なりたち

しきものをしいて人がねている形。

しきものをしいて、両手両足をひろげて、あおむけにねるのは、しきものに身をまかせることなので、〈よる・たよる〉の意味をあらわす。

となえかた

たて
かぎかいて
なかに大
そしてさいごに そことじる

150ページに いたことが「原因」で からだが よわくなったよ～

きを つけよう　因と似ている字…困

口（くにがまえ）の部・6画
その他型／1（たてぼう）

くん ——

おん ダン　わたしたちのクラスは、どんなことにも団結してとりくむ。
市立動物園の団体料金は、通常より百円安い。
（トン）　天気が良いので、ベランダに布団を干す。

いみ ❶**かたまる・集まる**●団結・団地・団らん　❷**くみ・組織による人のあつまり**●団員・団交・団体・団長・楽団・合唱団・劇団・集団・青年団・船団・退団・入団　❸**まるい**●団円・団子・布団

なりたち

かこいの形と「寸」（わずか）。

手でかこって、かためて小さくし、だんごのようにまるめることから、〈かたまる・あつまり〉の意味をあらわす。

となえかた

団　たて
　　かぎかいて

寸　寸をかき

団　そしてさいごに
　　そことじる

きを つけよう　団の「寸」の「ヽ」をわすれずに書く。

囗（くにがまえ）の部・7画
その他型／1（たてぼう）

くん かこむ　東北の、四方を山に**囲**まれた村が、父の故郷だ。
　　　　　　　かべ新聞のタイトルの文字を、四角で**囲**む。
　　　かこう　サッカーをするために、白線でそれぞれの陣地を**囲**う。
おん イ　　わたしは質問に、知っている**範囲**でこたえた。
　　　　　　池の**周囲**を歩くと、さまざまな虫がみつかる。

いみ かこむ・まわり ● 囲碁・胸囲・四囲・周囲・範囲・包囲

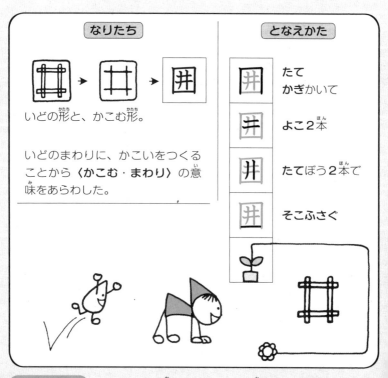

なりたち

いどの形と、かこむ形。

いどのまわりに、かこいをつくることから〈かこむ・まわり〉の意味をあらわした。

となえかた

たて
かぎかいて

よこ2本

たてぼう2本で

そこふさぐ

きを　つけよう　囲は「冂」を書いてから「井」を書く。

138

日（ひ）の部・15画
上下型／1（たてぼう）

くん あばれる　小さな子どもは、ソファーやベッドで**暴れる**のが好きだ。
（あばく）　名探偵が、仮面をかぶった怪盗の正体を**暴く**。
おん ボウ　　あまりの**暴風**で庭の木がおれてしまった。
（バク）　　週刊誌が、事件の真相を**暴露**する。

いみ ❶さらす ● 暴露　❷あらあらしい ● 暴漢・暴挙・暴君・暴言・暴行・暴徒・暴動・暴風・暴力・横暴・乱暴　❸きゅうに・度をこえた・むやみに ● 暴飲・暴食・暴走・暴騰・暴発・暴落

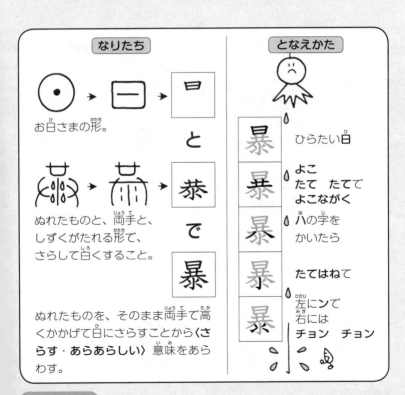

きを つけよう　暴の「氺」を「水」としない。

日(ひ)の部・5画
左右型／l(たてぼう)

くん —
おん キュウ

火鉢は今では旧式な道具だが、かつてはどの家にもあった。
家族旅行で、京都の旧跡をたずねる。
祖父は、ひさしぶりに旧友と会うと言って、でかけた。
鉄道の復旧作業を急ぐ。

いみ ❶ふるい・むかしからの・ふるびた●旧家・旧式・旧習・旧称・旧制・旧姓・旧跡・旧態・旧知・旧道・旧年・旧友・旧来・新旧・復旧　❷むかしのこよみのこと●旧正月・旧盆・旧暦

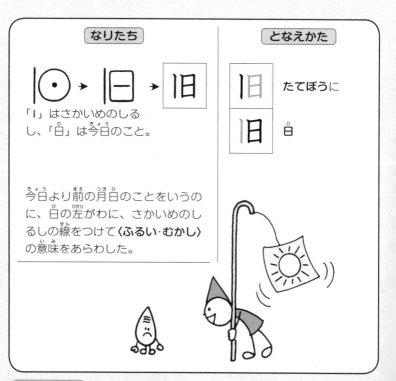

なりたち

「l」はさかいめのしるし、「臼」は今日のこと。

今日より前の月日のことをいうのに、臼の左がわに、さかいめのしるしの線をつけて〈ふるい・むかし〉の意味をあらわした。

となえかた

旧　たてぼうに
旧　臼

140　クイズ　旧交を□める　□に入るのは？　①暖　②温　③丸

水(みず)の部・13画
□その他型／丶(てん)

くん ——
おん ジュン　教科書に**準拠**したドリルを買って、勉強する。
　　　　　プールで泳ぐ前には、かならず**準備体操**をする。
　　　　　今日の試合に勝てば、いよいよ**準決勝**にすすむ。

いみ ❶めやす・てほん ● 準拠・基準・規準・照準・水準・標準　❷そなえる・したがう ● 準備　❸あるもののつぎてであること ● 準会員・準急・準決勝・準優勝

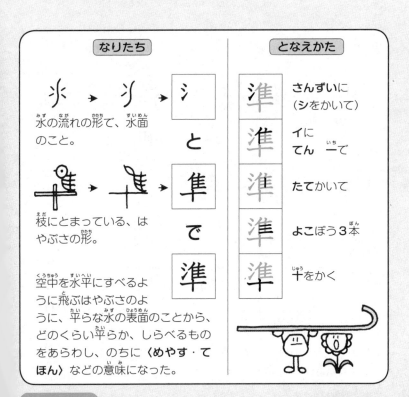

なりたち

水の流れの形で、水面のこと。

枝にとまっている、はやぶさの形。

空中を水平にすべるように飛ぶはやぶさのように、平らな水の表面のことから、どのくらい平らか、しらべるものをあらわし、のちに〈めやす・てほん〉などの意味になった。

となえかた

さんずいに（氵をかいて）

イに　てん　一で

たてかいて

よこぼう3本

十をかく

きを　つけよう　準の「氵」を「ン」としない。

水(みず)の部・12画
左右型／ヽ(てん)

- **くん** はかる　宅配便の料金を調べるために、荷物の寸法を測る。
　　　　　　　手紙の文章からは、友人の真意を測りかねる。
- **おん** ソク　　健康診断では、身長や体重を測定して、目や耳も検査する。
　　　　　　　きのうの夜、父さんといっしょに天体観測をした。

いみ
1. **ものをはかる** ● 測定・測量・測候所・観測・計測・実測・目測
2. **心でおしはかる** ● 憶測(臆測)・推測・予測

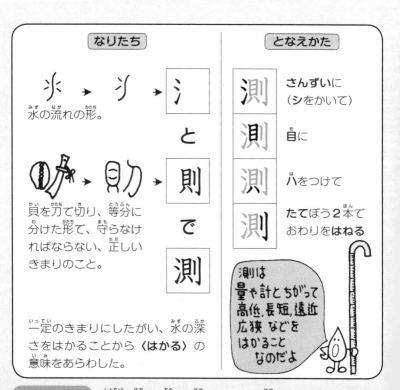

なりたち

水の流れの形。

貝を刀で切り、等分に分けた形で、守らなければならない、正しいきまりのこと。

一定のきまりにしたがい、水の深さをはかることから〈はかる〉の意味をあらわした。

となえかた

さんずいに（シをかいて）

目に

ハをつけて

たてぼう2本でおわりをはねる

測は量や計とちがって高低、長短、遠近、広狭などをはかることなのだよ

つかいわけ　身長を測る。重さを量る。タイムを計る。

水(みず)の部・14画
左右型／丶(てん)

くん ——

おん エン
世界的に有名なピアニストの**演奏会**にいった。
反戦をテーマにした**演劇**を、学年で鑑賞した。
市長選挙の候補者が、駅前で**演説**をしている。

いみ ❶おこなう・おおくの人のまえで、してみせる● 演技・演芸・演劇・演算・演習・演出・演奏・演舞・開演・共演・競演・公演・実演・主演・出演・上演・独演・熱演 ❷おおぜいの人にはなす● 演説・演題・演壇・講演

なりたち

水の流れの形。

と

屋根と、矢と両手の形。

で

演

まがった矢に両手をかけてのばすように、水の流れがのびひろがっていくようすから、ひろめるために〈人のまえでしてみせる〉の意味になった。

となえかた

演　さんずいに（シをかいて）

演　ウかんむりに

演　よこ一つけて

演　たて　かぎ
たてで
よこ2本

演　そしてさいごに
ハをつける

クイズ □作□演 □に入る同じ漢字は？ ①我 ②自 ③他

水(みず)の部・8画
左右型／丶(てん)

- **くん** かわ
- **おん** カ

河岸にある公園で、父とキャッチボールをした。
河川のはんらんを防ぐ護岸工事が、来年から始まる。
干潟の多くは河口に広がり、一日二回の潮の干満がある。
河畔の桜並木は、シーズンになると花見客でにぎわう。
スエズ運河は、地中海と紅海を結んでいる。

いみ かわ・大きなかわ ●河岸・河口・河上・河水・河川・河畔・運河・銀河・山河・大河・渡河・氷河・河原・河岸
●**特別な読み**…河原・(河岸)

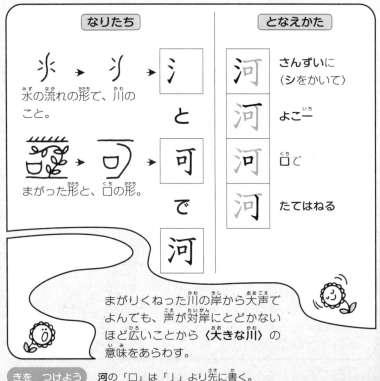

なりたち

水の流れの形で、川のこと。

まがった形と、口の形。

シ と 可 で 河

となえかた

- さんずいに (シをかいて)
- よこ一
- 口ぐ
- たてはねる

まがりくねった川の岸から大声でよんでも、声が対岸にとどかないほど広いことから〈大きな川〉の意味をあらわす。

きを つけよう 河の「口」は「亅」より先に書く。

水(みず)の部・15画
左右型／丶(てん)

- **くん** （いさぎよい） 相手のほうが強かったと、潔く負けをみとめる。
- **おん** ケツ いつも清潔な衣服を身につけるように心がける。
  作品のテーマと意図を、簡潔に来場者に説明する。
  ぼくは今回のできごとについては潔白だよ。

いみ ❶けがれのない・きよらか ●潔斎・潔白・潔癖・高潔・純潔・清潔・不潔 ❷さっぱりしている ●簡潔

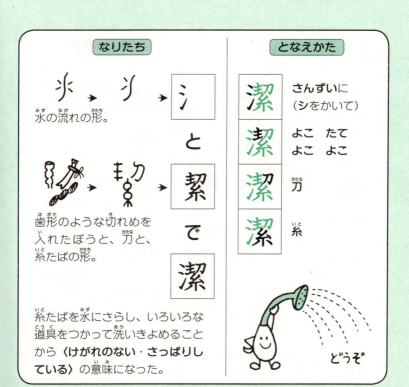

きを つけよう 「潔い」は「潔よい」としない。

水(みず)の部・11画
左右型／丶(てん)

くん まじる　砂に小石が**混じる**浜が、はるか遠くまで続いている。
　　　まざる　何色もの絵の具が**混ざる**と、黒っぽくなる。
　　　まぜる　姉はコーヒーには、かならずミルクを**混ぜる**。
　　　こむ　　終演後の劇場の出口はとても**混む**ので早めに出る。
おん コン　　母は週に一回、**混声合唱団**の練習をしている。
　　　　　　　駅は毎朝、通勤・通学客で**混雑**する。

いみ まじる・まざる・まぜる ●混じり気・混血・混合・混雑・混成・混声・混線・混然・混然一体・混同・混入・混迷・混用・混浴・混乱

なりたち

氷 → 氵 → 氵
水の流れの形。

と

☉ → 昆 → 昆
お日さまの下に、人が集まっている形で、入りまじること。

で

混

お日さまの下に、人が集まるように、大小さまざまな水の流れが集まり、まざることで、ゆたかに流れることから〈まじる・まざる〉の意味をあらわした。

となえかた

混　さんずいに（シをかいて）

混　日をかいたら

混　かなのヒ　はねて　つぎのは　まげはね

クイズ　公私混□　□に入るのは？　①同　②合　③乱

水(みず)の部・12画
左右型／丶(てん)

くん へる　ここ数年、庭にくる野鳥の数が**減**っている気がする。
　　　へらす　祖母は健康のために、余分な塩分を**減らす**努力をしている。
おん ゲン　下り坂ではブレーキで**減速**して、歩行者にも注意する。
　　　　　　今年は、市内の小学校の児童数が**減少**したらしい。

いみ へる・へらす ● 減額・減産・減収・減少・減食・減税・減速・減退・減点・減法・減量・加減・軽減・増減・半減

さんこう　減の反対の意味の字…加・増

水(みず)の部・11画
左右型／丶(てん)

くん ——
おん エキ

心臓は、血液を全身に送りだすはたらきをする。
気体が液体になることを液化、その逆を気化という。
はだが乾燥しないように、乳液をぬる。

いみ えきたい・しる・つゆ ● 液化・液状・液体・胃液・血液・試液・樹液・消毒液・水溶液・注射液・乳液・溶液

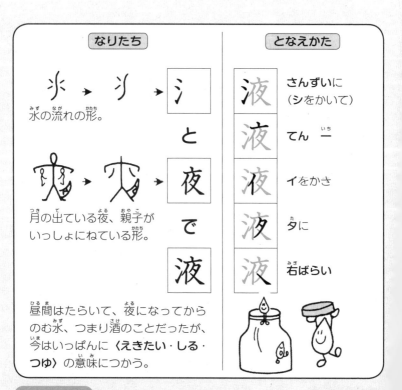

なりたち

水の流れの形。

と

月の出ている夜、親子がいっしょにねている形。

で

液

昼間はたらいて、夜になってからのむ水、つまり酒のことだったが、今はいっぱんに〈えきたい・しる・つゆ〉の意味につかう。

となえかた

さんずいに
(シをかいて)

てん 一

イをかさ

夕に

右ばらい

きを　つけよう　液の「亠」を「冖」としない。

水(みず)の部・5画
上下型／丶(てん)

- **くん** ながい　王女は魔法をかけられて、**永い**眠りについた。
　　　　親友のあやちゃんとは、**末永く**仲良くしていきたい。
- **おん** エイ　この平和な時代が、**永遠**に続くことを願う。
　　　　おじ夫婦は、常夏の島ハワイに**永住**することになった。

いみ ながい・かぎりなく・いつまでも ● 永遠・永久・永久歯・永住・永生・永世中立・永続・永年・永別・永眠

なりたち

巛 → 氺 → 永

川の流れが集まって、長くのびていく形。

川の水が、支流から本流に集まりながら、流れつづけて海へ入る形で〈ながい〉の意味をあらわす。

となえかた

永	てんをうち
永	かぎぼうはねて
永	フをかいて
永	左ばらいに
永	右ばらい

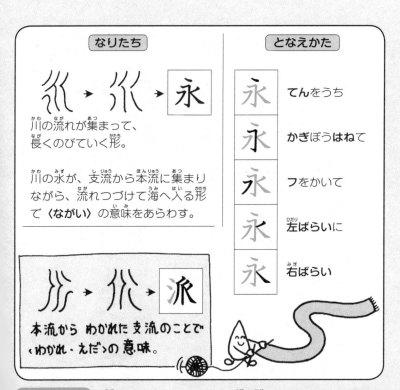

氵 → 爪 → 派

本流から わかれた 支流のことで 〈わかれ・えだ〉の 意味。

つかいわけ　**永い**ねむりにつく。キリンは首が**長い**。

厂(がんだれ)の部・9画
その他型／一(よこぼう)

くん あつい　祖父の本棚には、**分厚**い本がぎっしりとならんでいる。
北海道のおじの家では、家族で**厚**いもてなしをうけた。

おん (コウ)　**濃厚**でおいしい牛乳を飲む。
友人の**厚意**に、すなおに感謝する。
あの**温厚**な人がおこるのだから、よっぽどのことだ。

いみ ❶ぶあつい・ふかい●**厚**紙・**厚**着・**厚**地・**厚**手・肉**厚**・重**厚**・濃**厚**
❷心のこもった・たいせつにする●**厚**意・**厚**志・**厚**情・**厚**生・温**厚**・篤**厚**　❸あつかましい●**厚**顔

(なりたち)

がけの断層が見える形。

と

「高」をさかさまにした形で、えぐれていること。

厚

積みかさなった土が深くえぐれてできたがけは、地層のあつみがよくわかることから〈ぶあつい〉の意味をあらわした。

(となえかた)

厚　よこ一
厚　ノをかき
厚　なかに日
厚　子

つかいわけ　ご**厚意**に感謝します。彼の人がらに**好意**をもつ。

阝(こざとへん)の部・7画
左右型／一(よこぼう)

くん ふせぐ
条例を定めて、大気汚染を**防ぐ**努力がおこなわれている。
台風のときには、雨戸を閉めて、風雨を**防ぐ**。

おん ボウ
今年の冬は、インフルエンザの**予防**接種をうける。
海岸にそって、**防風林**が続く。
消防車が何台も走っていく。

いみ ふせぐ・まもる・そなえる ● 防衛・防音・防火・防寒・防護・防災・防止・防除・防水・防雪林・防戦・防虫・防毒・防犯・防備・防風林・攻防・消防・堤防・予防

なりたち

阝 がけの断層の形で、積みあげた土のこと。

方 二そうのふねのへさきをつないだ形で、ならべること。

阝と方で防

土をたくさん積みあげてならべ、あふれる水をふせぐことから〈ふせぐ・まもる〉の意味をあらわす。

となえかた

フにつづけてたてながく（こざとへん）
てん 一かいて
かぎまげはねたら
ノをながく

クイズ □当防衛 □に入るのは？ ①順 ②正 ③適

阝(こざとへん)の部・9画
左右型／一(よこぼう)

- **くん** かぎる　パトカーの体験乗車は、小学生以下に**限る**そうだ。
  あの子に**限**って、うそはいわないと思う。
- **おん** ゲン　天気予報の精度には、あくまでも**限界**がある。
  宿題は、**提出期限**を守らなければ意味がない。

いみ かぎる・さかい・かぎり ● 限界・限外・限定・限度・期限・極限・権限・刻限・際限・制限・日限・年限・無限・門限・有限

きを つけよう　限の「艮」を「良」としない。

険

阝(こざとへん)の部・11画
左右型／一(よこぼう)

- **くん** けわしい
  - **険しい**山がそびえている。
  - 姉が**険しい**顔つきでおこる。
- **おん** ケン
  - 川底が深く、水遊びは**危険**だ。
  - **冒険**物語を読む。
  - 弟とけんかしてから、**険悪**な雰囲気が続いている。

いみ ❶けわしい・わるい● 険悪・険阻・険相・険難・険路・陰険　❷あぶない● 危険・冒険・保険

なりたち

长 → 㠯 → 阝
がけの断層の形。

僉 → 僉 → 僉
集まるしるしと、口と人の形で、意見を一つに合わせること。

と

で

険

集まった大ぜいの人が、がけをみあげて、みんなで口をそろえて、「けわしいがけだ」ということから〈けわしい〉の意味をあらわした。

となえかた

険　フにつづけて

険　たてぼうながく（こざとへん）

険　ひとやね

険　一　口

険　人をかく

きを　つけよう　険と似ている字…検・倹

阝(こざとへん)の部・14画
左右型／一(よこぼう)

くん (きわ) がけの際に立つと危ないから、それ以上は行かないように。
病院におみまいに行った帰り際、祖母と握手をする。

おん サイ 母のおしゃべりは、いつも際限がない。
アイスクリームの工場を実際に見学するのは、はじめてだ。
外国の人と結婚することを、国際結婚という。

いみ ❶きわ・はて・そば・かたわら●死に際・瀬戸際・窓際・水際・際限　❷まじる・つきあい●交際・国際　❸てあう●際会　❹そのとき・そのばあい●際物・間際・実際

なりたち

がけの断層の形。

祭だんに手で肉をそなえる形で、まつりのこと。

と

祭

で

際

がけ下のきわに人があつまって、おまつりをするようすで〈きわ・つきあい〉などの意味をあらわす。

となえかた

際　フにつづけてたてながく（こざとへん）

際　夕にてんつけて

際　フをかいて

際　右にはらって

際　かん字の示す

きを つけよう　際の「夕」を「タ」としない。

石（いし）の部・10画

左右型／一（よこぼう）

- **くん** やぶる　ネコが張りかえたばかりの障子を**破**る。
父は夏休みに旅行にいくという約束を**破**った。
- やぶれる　枝にひっかかって、お気に入りのシャツが**破**れた。
- **おん** ハ　宅地開発によって、豊かな里山の自然が**破**壊された。
強風で、モッコウバラの生け垣が**破**損した。

いみ ❶やぶる・こわす・こわれる・だめになる● 破屋・破壊・破格・破棄・破局・破産・破損・破談・破片・破滅・破裂・大破　❷うちまかす● 撃破・打破・論破　❸やりとおす● 看破・走破・踏破・読破・突破

なりたち

がけ下にころがっている石の形。

けものの皮を手ではぐ形。

石でつくったおので、けものの皮をはぐことから〈やぶる・こわす〉の意味をあらわす。

となえかた

- 石へんに
- たてたノ
- よこはね
- たてかいて
- したにフをかき右ばらい

チョット ヒルネ

クイズ　破顔一□　□に入るのは？ ①泣 ②笑 ③心

石(いし)の部・15画
左右型／一(よこぼう)

くん たしか　確かに答案には名前を書いたはずだ。
ぼくの記憶が確かなら、五年前にも同じことがあった。
たしかめる　毎朝、忘れ物がないかどうか、玄関で確かめる。
おん カク　幼虫の成長のようすを写真にとって、正確に記録する。

いみ ❶まちがいない●確言・確実・確証・確信・確答・確認・確約・確率・正確・的確・明確　❷しっかりして動かない●確定・確保・確立・確固

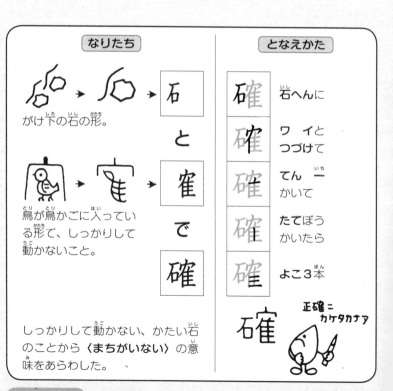

なりたち

がけ下の石の形。 → 石

鳥が鳥かごに入っている形で、しっかりして動かないこと。 → 雀

石 と 雀 で 確

しっかりして動かない、かたい石のことから〈まちがいない〉の意味をあらわした。

となえかた

石へんに
ワイとつづけて
てん 一 かいて
たてぼう かいたら
よこ3本

石確

正確＝カクタカナア

きを つけよう　確の「隹」を「雀」としない。

金(かね)の部・14画
左右型／ノ(ななめぼう)

くん ——

おん ドウ 　大仏は、青銅でつくられたものが多い。
おととしに開かれた博覧会で、記念の銅貨を買った。
ウィーンの公園に、さまざまな音楽家の銅像が立っている。
その絵には、赤銅色のはだをした漁師たちがえがかれている。

いみ どう・あかがね● 銅貨・銅器・銅山・銅製・銅線・銅像・銅版・黄銅鉱・金銅・赤銅・青銅・精銅・白銅・分銅

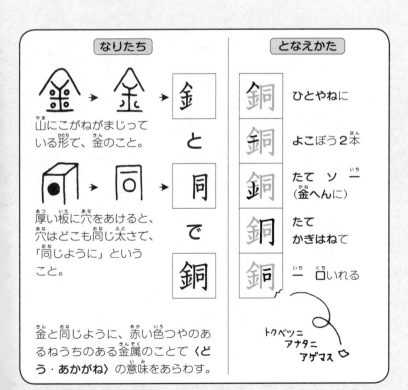

なりたち

山にこがねがまじっている形で、金のこと。

厚い板に穴をあけると、穴はどこも同じ太さで、「同じように」ということ。

金と同じように、赤い色つやのあるねうちのある金属のことで〈どう・あかがね〉の意味をあらわす。

となえかた

ひとやねに

よこぼう2本

たて ソ 一
(金へんに)

たて
かぎはねて

一　口いれる

トクベツニ
アナタニ
アゲマス

きを　つけよう　銅と似ている字…鋼

《くみたてクイズ》

ひとやねに 土 口は なあに?

二人 二人で 貝をかく なあに?

ソ 木に しんにょう なあに?

クイズの雲が、もくもくもく。

こたえは
229ページ

金(かね)の部・13画
左右型／ノ(ななめぼう)

くん ——
おん コウ　鉱物の多くは、人間の生活や産業にとって有用な資源だ。かつて九州には、石炭をほりだす炭鉱がたくさんあった。

いみ 金属などをふくんでいる、やまからほりだしたままの岩石●鉱業・鉱区・鉱山・鉱床・鉱石・鉱泉・鉱毒・鉱夫・鉱物・鉱脈・金鉱・銀鉱・採鉱・炭鉱・鉄鉱・廃鉱

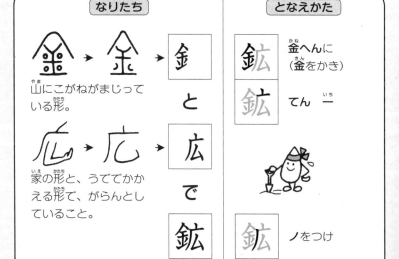

クイズ　鉱－金－ム＋心＝？

土(つち)の部・7画
左右型／一(よこぼう)

くん ―

おん キン
九月の**平均気温**を調べる。
百円均一の店でおもちゃを買う。
おやつは兄弟で**均等**に分けないと、けんかになる。
父はジムに通い、**均整**のとれたからだを保っている。

いみ ❶おなじ・ひとしい ●均一・均質・均等・均分・平均　❷ととのえる・ととのっている ●均衡・均整

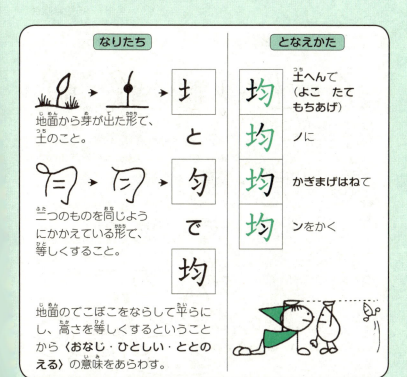

なりたち

地面から芽が出た形で、土のこと。 → 土

二つのものを同じようにかかえている形で、等しくすること。 → 勹

と　で　均

地面のでこぼこをならして平らにし、高さを等しくするということから〈おなじ・ひとしい・ととのえる〉の意味をあらわす。

となえかた

均　土へんで（よこ たて もちあげ）
均　ノに
均　かぎまげはねて
均　ンをかく

きを つけよう　均の「勻」を「勺」としない。

土(つち)の部・14画
左右型／一(よこぼう)

くん さかい　川が、県と県の**境**になっている。
　　　　　　　三日間、生死の**境**をさまよう。
おん キョウ　ピカソが新しい**境**地をひらいた作品が「ゲルニカ」だ。
　　　　　　　ベートーベンは不幸な**境**遇にありながら、名曲を残した。
　（ケイ）　神社の**境**内は、初もうでの人でにぎわっている。

いみ ❶さかい・くぎり●境界・境内・越境・国境　❷ばしょ・ところ●異境・佳境・環境・秘境・辺境・理想境　❸めぐりあわせ●境涯・境遇・逆境・順境　❹ありさま●境地・心境

なりたち

地面から芽が出ている形で、土地のこと。

音と人の足の形で、曲のひとくぎり、切れめ・さかいのこと。

土地と土地のくぎり、切れめのことから〈さかい・ばしょ〉の意味をあらわす。

となえかた

土へんに
(よこ たて もちあげ)

てん ー

ソ ー

白に

ひとのあし

きを つけよう　境の「竟」を「意」としない。

土（つち）の部・14画
左右型／一（よこぼう）

くん ます 大雨がふると、この川はすぐに水かさが**増**す。
ふえる お正月は、食べてばかりいるので、体重が**増**える。
ふやす 飼育係の人数を、三人に**増**やすことになった。
おん ゾウ 家を**増**築して、祖父母と二世帯で住む。
六年生になったら、おこづかいを**増**額してもらう。

いみ ❶ふえる・くわえる・ます ● 建て増し・水増し・割り増し・増加・増額・増強・増減・増産・増収・増進・増水・増税・増設・増大・増築・増発・急増・激増・倍増 ❷おごりたかぶる ● 増上慢・増長

なりたち

地面から芽が出た形で、土のこと。

と

重なったせいろ（食べ物を蒸す道具）の形。

で

増

せいろをかさねるように、土の上に土をかさねていくことで〈ふえる・ます〉の意味をあらわす。

となえかた

土へんに
（よこ たて もちあげ）

ソをかき

由をかき

日を
したに

さんこう　増の反対の意味の字…減

土(つち)の部・6画
□ その他型／一(よこぼう)

くん ある　森のおくに、古めかしい小さな一けんの家が**在**る。
おん ザイ　留学の経験がある母は、英語を**自由自在**に使いこなす。
　　　　夏休みに、カナダ**在住**の親戚の家に遊びにいく。

いみ ❶**ある・いる** ● 在位・在外・在学・在勤・在庫・在校・在室・在住・在職・在世・在席・在宅・在中・在任・在来・健在・自由自在・所在・潜在・存在・滞在・点在・不在　❷**いなか** ● 在所・近在

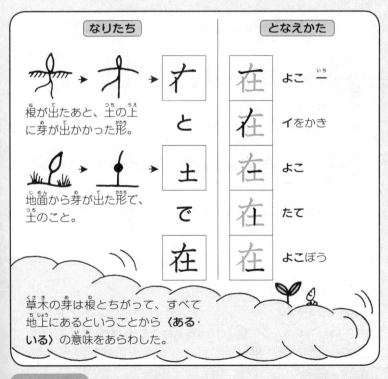

きを　つけよう　在の「土」を「士」としない。

土(つち)の部・11画
上下型／一(よこぼう)

くん （もと）　集めた資料を**基**に、県の農作物について発表する。
（もとい）　徳川家康は、天下太平の**基**をきずいた将軍だ。
おん キ　　　サッカーの**基本**を、きちんと身につけることが大切だ。
英語を**基礎**からしっかりと学ぶために、ラジオをきく。

いみ どだい・もと・もとになるもの ● 基因・基幹・基金・基準・基礎・基地・基調・基底・基点・基盤・基部・基本・塩基

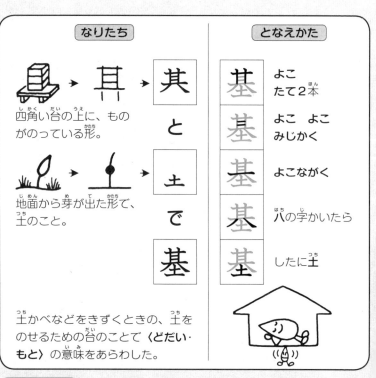

つかいわけ　資料を**基**にする。青空の**下**を走りまわる。**元**の住所。

土(つち)の部・13画
上下型／一(よこぼう)

- **くん** はか
  - 古墳は大昔につくられた、身分の高い人の**墓**だ。
  - お盆に家族全員で**墓**参りをする。
- **おん** ボ
  - 近所にある小さな**墓**地には、よくお参りの人がくる。
  - 有名な作家の**墓**前には、命日に多くの花がたむけられている。

いみ はか・はかば ● 墓石(墓石)・墓場・墓参り・墓穴・墓参・墓所・墓前・墓地・墓表・墓標・墳墓

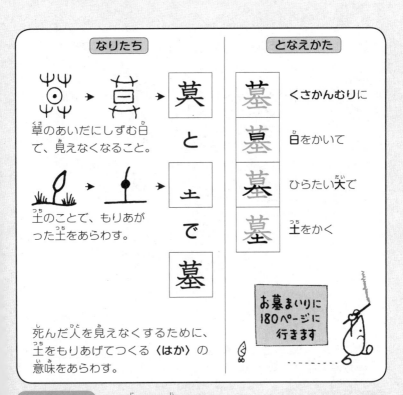

きを つけよう　墓と似ている字…暮・幕

土(つち)の部・9画
上下型／一(よこぼう)

- **くん** かた
  - 生地を**型**にはめて、動物のクッキーをつくる。
  - **型**にはまったファッションではなく、もっと個性をだしたい。
  - 家庭科の授業で、**型紙**にあわせて布を切る。
- **おん** ケイ
  - おじいちゃんは、船の**模型**づくりに熱中している。

いみ ❶かた・もとになるもの ● 型紙・鋳型・大型・木型・小型・新型・標準型・原型・紙型・定型・流線型　❷みほん・てほん ● 典型・模型・類型

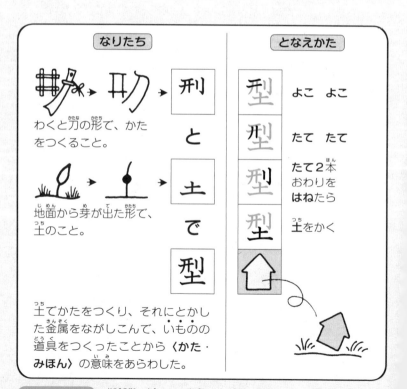

なりたち

わくと刀の形で、かたをつくること。

地面から芽が出た形で、土のこと。

土でかたをつくり、それにとかした金属をながしこんで、いものの道具をつくったことから〈かた・みほん〉の意味をあらわした。

となえかた

型 — よこ よこ
型 — たて たて
型 — たて2本 おわりを はねたら
型 — 土をかく

つかいわけ 血液**型**を調べる。水泳の自由**形**の選手。

土(つち)の部・11画
上下型／1(たてぼう)

くん ——
おん ドウ　近所のお寺の**本堂**がたてなおされるそうだ。
　　　　学級会で、自分の考えを**堂堂**とのべる。
　　　　食堂に入って、名物のアイスクリームを食べた。

いみ ❶ごてん・りっぱなたてもの● 金堂・聖堂・殿堂・本堂・礼拝堂
　　❷おおくの人がはいるたてもの● 会堂・議事堂・公会堂・講堂・食堂
　　❸りっぱなようす● 堂堂・正正堂堂

クイズ　　堂 − 土 ＋ 貝 ＝ ？

干(いち/じゅう)の部・13画
左右型／一(よこぼう)

くん みき　木の幹の高いところに、セミがとまって鳴いている。
おん カン　新幹線の新型の車両に、はじめて乗った。
母は、高校のときのクラス会の幹事をやっている。
東名高速道路は、東京都と愛知県を結ぶ幹線道路だ。

いみ みき・もと・おもなもの ● 幹事・幹線・幹部・幹流・基幹・語幹・骨幹・根幹・主幹・樹幹・新幹線・本幹

きを つけよう　幹の「𠦝」を「車」としない。

田(た)の部・11画
左右型／1(たてぼう)

くん ——
おん リャク　チーム全員で集まって、決勝戦に勝つための**戦略**をねる。
敵のディフェンスを**攻略**することが、いちばん重要だ。

いみ ❶はかりごと・かんがえ●計略・策略・政略・戦略・知略　❷うばう・かすめとる●略奪・攻略・侵略　❸はぶく・かんたんにした●略画・略語・略字・略式・略称・略図・略服・略歴・概略・省略

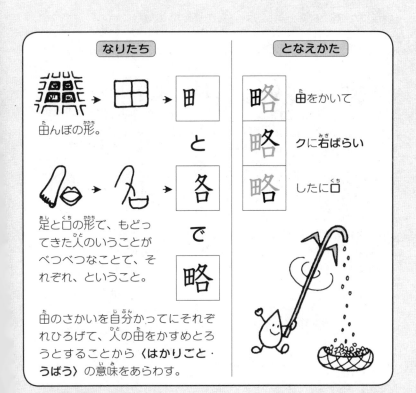

なりたち

田んぼの形。

と

足と口の形で、もどってきた人のいうことがべつべつなことで、それぞれ、ということ。

で

田のさかいを自分かってにそれぞれひろげて、人の田をかすめとろうとすることから〈はかりごと・うばう〉の意味をあらわす。

となえかた

田をかいて

クに右ばらい

したに口

きを つけよう　略の「田」を「甲」「由」「申」としない。

田(た)の部・10画
上下型／ノ(ななめぼう)

くん とめる　写真をかべにピンで留める。
　　　　　　被害者が一命を取り留める。
　　　とまる　美しい野鳥が枝に留まる。
　　　　　　母の言葉が心に留まっている。
おん リュウ　いとこはフランスへ留学している。
　　　ル　　　今日、はじめて一人で留守番をする。

いみ とまる・とどめる・そのままにしておく ● 留め金・書留・留学・留置・留任・留年・留保・留守・留守番・遺留・居留・寄留・在留・残留・停留所・保留

●**送りがなに注意**…「書留」は、「書き留め」とは書かない。

なりたち

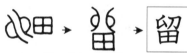

たまり水と田んぼの形で、かんがい用のため池。

川からひきこんで、ため池をつくり、田や畑にひき入れるための水をためておいたところから〈とどめる・そのままにしておく〉の意味をあらわした。

となえかた

ノにたてはねててんつけて

刀をかいたら

たんぼの田

停留所ニ
　トマラナイデ
　次ページヘ
　　オオイソギ！

つかいわけ　監督の目に留まる。息が止まるほどおどろく。

土(つち)の部・5画
□その他型／一(よこぼう)

くん ——
おん アツ　きず口を圧迫して止血する。
　　　　相手チームは圧倒的に強い。
　　　　飛行機の中で耳がつんとするのは、気圧が下がるからだ。
　　　　年をとると、高血圧でなやむ人が多いのだそうだ。

いみ おす・おしつける・おさえつける ● 圧巻・圧搾・圧死・圧縮・圧勝・圧倒・圧倒的・圧迫・圧服・圧力・気圧・血圧・水圧・弾圧・鎮圧・電圧

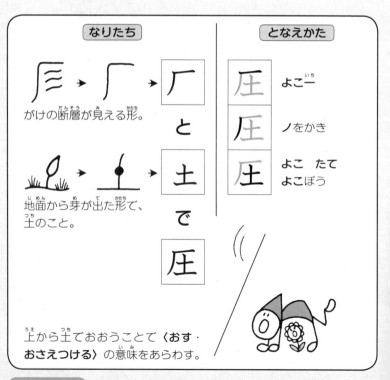

なりたち

がけの断層が見える形。

地面から芽が出た形で、土のこと。

厂 と 土 で 圧

上から土でおおうことで〈おす・おさえつける〉の意味をあらわす。

となえかた

圧　よこ一
圧　ノをかき
圧　よこ　たて　よこぼう

きを つけよう　圧の「厂」を「广」としない。

火(ひ)の部・16画
左右型／丶(てん)

くん もえる　まきがパチパチと音をたてて**燃える**。
　　　　　　　ぼくは今、模型づくりに**燃えている**。
　　　もやす　キャンプで落ち葉を**燃やして**焼きいもをつくった。
　　　　　　　明日の決勝戦に向けて、闘志を**燃やす**。
　　　もす　　庭や畑などで、ごみを**燃す**のは、禁止されている。
おん ネン　ものが**燃焼**するときには、熱と光がでる。

いみ もやす・もえる ● 燃え残り・燃焼・燃費・燃油・燃料・可燃性・再燃・内燃機関・不燃性

なりたち

火がもえている形。

犬の肉をあぶる形で、「もやす」こと。

火 と 然 で 燃

「然」という字が「もやす」の意味から「そのとおり」の意味に使われるようになったので、「然」に火へんをつけて、もとの〈もやす〉の意味にした。

となえかた

火をかいて
夕にてんつけて
犬をかき
したにてんてんよっつかく

きを つけよう　燃の「夕」を「夕」としない。

火(ひ)の部・7画
上下型／ノ(ななめぼう)

くん （わざわい）　思わぬ災いが、主人公の身にふりかかった。
　　　　　　　　　口は災いの元だから、ことばには気をつけよう。
おん サイ　　　　災害をうけた人たちに、支援物資がとどけられる。
　　　　　　　　　天災は忘れたころにやってくる。

いみ わざわい・さいなん ● 災禍・災害・災難・火災・震災・人災・戦災・息災・天災・被災

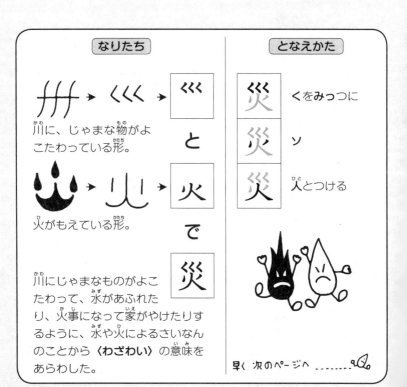

なりたち

川に、じゃまな物がよこたわっている形。

火がもえている形。

川にじゃまなものがよこたわって、水があふれたり、火事になって家がやけたりするように、水や火によるさいなんのことから〈わざわい〉の意味をあらわした。

となえかた

くをみっつに
ソ
人とつける

早く 次のページへ

きを つけよう　「災い」は「災わい」としない。

皿(さら)の部・10画
上下型／丶(てん)

くん ——
おん エキ　動物はもともと、**無益**な争いは好まない。
　　　　　母は、趣味と**実益**をかねて油絵をかいている。
　（ヤク）　学業成就にご**利益**があるという神社に、お参りにいった。

いみ ❶ふえる● 増益　❷ためになる・やくだつ● 益虫・益鳥・公益・無益・有益　❸もうけ・もうける● 実益・収益・純益・損益・利益　❹神仏のふしぎなしるし● ご利益

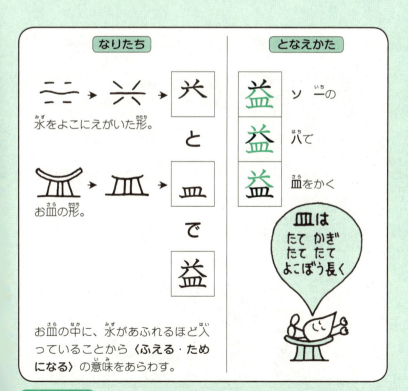

きを　つけよう　益の「皿」を「血」としない。

豆(まめ)の部・13画
上下型／l(たてぼう)

- **くん** ゆたか　田んぼでは、イネが**豊**かにみのっている。
　　　　　森を歩き、小鳥のさえずりをきくと、心が**豊**かになる。
- **おん** ホウ　今年はリンゴが**豊**作だそうだ。
　　　　豊富な自然を観光に生かす。
　　　　サンマの**豊**漁で、港の魚市場がにぎわっている。

いみ ❶穀物がよくみのる●**豊**作・**豊**年・**豊**年満作　❷ものが多い・ゆたか・たっぷりとある●**豊**潤・**豊**富・**豊**満・**豊**漁

なりたち

 →  → 豊

いなほと、山と、足のついたうつわの形。

いなほを山のようにうつわにつんだ形から〈穀物がよくみのる・ゆたか〉の意味をあらわした。

となえかた

豊	たて かぎかいて
豊	たて2本
豊	なかによこぼう そこふさぎ
豊	一 ロ ソ 一 豆をかく

178　クイズ　豊年□作　□に入るのは？　①満　②凶　③豊

示(しめす)の部・5画
上下型／一(よこぼう)

くん しめす
- 時計の針が正午を**示す**と同時に、おなかが鳴った。
- 弟は電車に深い関心を**示す**が、ぼくは飛行機が好きだ。

おん ジ
- 図書館の前にある**掲示**板で、新しい本の情報をみる。
- 図工でかいた自画像の絵を教室に**展示**する。

（シ）
- エンジンのしくみを、父が**図示**して説明してくれた。

いみ しめす・わかるように人にみせる・さしずする ●示威・示唆・暗示・教示・訓示・啓示・掲示・公示・告示・誇示・指示・図示・展示・表示・明示

なりたち

神をまつる祭だんの形。

祭だんにおそなえをして、そのままかざっておくことから〈しめす・みせる〉の意味をあらわす。

となえかた

よこぼう2本

たてはね

チョン　チョン

かさがいらなくなるのは212ページ！

さんこう　示は、へんになると「ネ」の形になる。

示(しめす)の部・9画
左右型／丶(てん)

くん ——
おん ソ　人類の**祖先**は、かつては文字をもたなかった。
母は、**祖父**を駅までおくっていった。
たい焼きの**元祖**の店は、東京にあるそうだ。

いみ ❶その家の血すじのおおもとの人。または、それからあとの人たち ●祖業・祖国・祖先・先祖・父祖　❷親の親 ●祖父・祖母　❸あるものごとをはじめた人 ●祖師・開祖・元祖・教祖・始祖

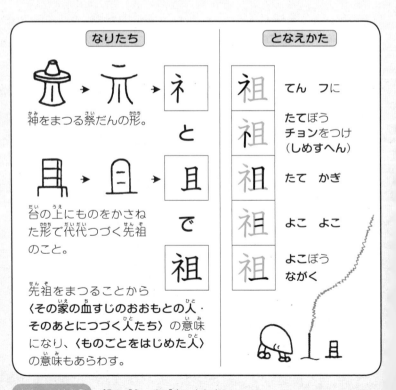

なりたち

神をまつる祭だんの形。 → ネ

台の上にものをかさねた形で代代つづく先祖のこと。 → 且

と で 祖

先祖をまつることから〈その家の血すじのおおもとの人・そのあとにつづく人たち〉の意味になり、〈ものごとをはじめた人〉の意味もあらわす。

となえかた

祖　てん　フに
祖　たてぼう　チョンをつけ（しめすへん）
祖　たて　かぎ
祖　よこ　よこ
祖　よこぼう　ながく

きを　つけよう　祖の「ネ」を「ネ」としない。

示(しめす)の部・13画
上下型／一(よこぼう)

くん ——
おん キン

赤い旗のむこうは遊泳禁止なので、行ってはいけない。
市役所はすべて禁煙で、敷地内では外でもタバコはすえない。
ダイエット中の母の前で、ケーキということばは禁句だ。

いみ ❶とめる・やめさせる ●禁煙・禁止・禁酒・禁制・禁足・禁断・禁物・禁猟・禁漁・禁令・解禁・厳禁 ❷とじこめる ●禁固・監禁・軟禁 ❸きらってさける ●禁忌・禁句

なりたち

木をならべた形。

神をまつる祭だんの形。

林 と 示 で 禁

神をまつった場所のまわりに木を植え、むやみに人を出入りさせないようにしたところから〈とめる・やめさせる〉の意味をあらわす。

となえかた

禁 — 木
禁 — 木
禁 — よこ2本
禁 — 小をかく

きを つけよう 禁の「示」を「禾」としない。

耒(すきへん)の部・10画
左右型／一(よこぼう)

くん たがやす　田んぼのレンゲが生えたまま**耕す**と、肥料になる。
おん コウ　日本人の起源は、**農耕**民族であると、よくいわれる。
　　　　米を作っている祖父の家には、**耕**うん機が二台ある。
　　　　各県の**耕**地面積の統計を調べる。

いみ たがやす●耕うん機・耕具・耕作・耕地・耕田・耕土・耕牧・牛耕・晴耕雨読・農耕・馬耕

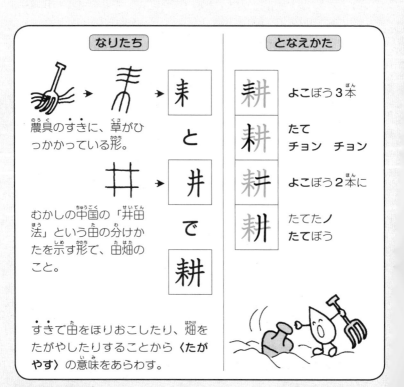

なりたち

農具のすきに、草がひっかかっている形。

むかしの中国の「井田法」という田の分けかたを示す形で、田畑のこと。

すきで田をほりおこしたり、畑をたがやしたりすることから〈たがやす〉の意味をあらわす。

となえかた

耕　よこぼう3本
耕　たて　チョン　チョン
耕　よこぼう2本に
耕　たてたノ　たてぼう

きを つけよう　「耕す」は「耕やす」としない。

酉(ひよみの とり)の部・14画
左右型／一(よこぼう)

くん (すい) となりのおばあちゃんがくれた、酸い梅ぼしを食べる。
祖父は、酸いも甘いもかみわけた、人生のベテランだ。

おん サン リトマス試験紙で、酸性かアルカリ性かを調べる。
このミカンは甘いけれど、酸味がたりない。

いみ ❶すっぱい・す●酸味 ❷酸性のもの●酸化・酸性・酸素・胃酸・塩酸・酢酸・硝酸・青酸・炭酸・乳酸・硫酸 ❸つらい・むごい●酸鼻・辛酸

なりたち

お酒を入れるかめの形。

と

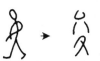

手を前で組んだ、背のすらっとした人の形。

で

酸

すらっとしたスタイルになるための薬にした、酒を発こうさせたすっぱい「す」のことから〈すっぱい・す〉の意味をあらわす。

となえかた

酸 よこ たて かぎで

酸 ルをかいて よこぼういれて

酸 そことじて

酸 ムに ハをまげて

酸 クに右ばらい

きを つけよう 酸の「酉」を「西」としない。

罒 (あみがしら)の部・13画
上下型／1 (たてぼう)

- **くん** つみ
  - 罪をにくんで人をにくまず。
  - 罪を人にきせてはいけない。
  - 妹には罪なことをしたと、心から反省する。
  - 赤ちゃんの寝顔は、罪がなくて、ほんとうにかわいい。
- **おん** ザイ
  - 罪人が刑務所に入れられる。
  - けんかの件で、友人に謝罪する。

いみ つみ・わるいしわざ ● 罪悪・罪科・罪業・罪状・罪人・罪罰・罪名・功罪・謝罪・重罪・大罪・犯罪・無罪・余罪・有罪

きを つけよう 罪の「罒」を「四」としない。

刀（かたな）の部・5画
左右型／一（よこぼう）

くん ——
おん カン　書店の店先に、話題の**新刊**がならんでいる。
あしたは新聞が**休刊**になる。
父は駅の売店で**週刊誌**を買う。

いみ 本や雑誌などをつくって出す ● 刊行・季刊・既刊・休刊・近刊・月刊・週刊誌・新刊・創刊・増刊・朝刊・日刊・年刊・廃刊・発刊・未刊・夕刊

きを　つけよう　刊の「干」を「千」としない。

刀(かたな)の部・9画
左右型／1(たてぼう)

くん ——
おん ソク　図書館で本を借りるときには、**規則**を守る。
万有引力の**法則**。
漢字の書き順では、**原則**をおぼえることが大切だ。
ピアノ教室の曜日は、十二月は**変則**的になる。

いみ きまり・標準 ● 会則・学則・規則・原則・校則・準則・総則・通則・鉄則・罰則・反則・付則・変則・法則

なりたち

貝の形で、財産のこと。

と

刀の形で、分けること。

で　則

財産を公平に分けることをあらわし、それは正しいきまりであり、つねに変わらない法であることから〈きまり・標準〉の意味をあらわした。

となえかた

則　目に

則　ハをつけて

則　たてぼう2本でおわりをはねる（りっとうをかく）

きを つけよう　則の「貝」を「見」としない。

刀(かたな)の部・8画
左右型／ノ(ななめぼう)

くん ——
おん セイ

郵便物には重さや大きさ、形の**制約**がある。
十月から、六年生が壁画絵の**制作**にとりかかる。
中学生になったら、学校へは**制服**で登校する。

いみ ❶とめる・おさえる●制圧・制御・制限・制裁・制止・制動・制約・自制・節制 ❷したてる・つくる●制作 ❸さだめる・きまり・きそく・とりきめ●制定・制度・制服・学制・規制

なりたち

木のとちゅうを切る形。
刀の形。
木のでっぱっているところを、刀で切りそろえることから〈とめる・おさえる〉の意味をあらわす。

となえかた

制 ノ 一
制 よこぼう
制 たて かぎはねて
制 たてぼう かいたら
制 たてぼう2本でおわりをはねる

つかいわけ　芸術作品の**制作**。自動車の部品を**製作**する会社。

刀（かたな）の部・7画
左右型／丶（てん）

くん ——
おん ハン　このコピーは字がかすれて、細かいところが**判読**できない。
　　　　　人を見た目だけで**判断**してはいけない。
　　　バン　三年がかりの**裁判**で、被告の無罪が確定した。

いみ ❶はっきりする・みわける・くべつする● 判然・判読・判明・評判　❷ものごとにけじめをつける● 判断・判定・判別　❸さいばん● 判決・判事・判例・裁判　❹むかしの金貨● 大判・小判　❺紙や本の大きさ● 判型　❻はんこ● 印判

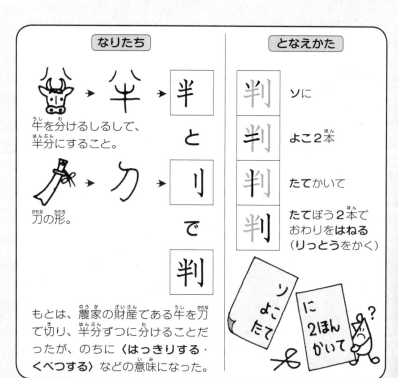

（なりたち）
牛を分けるしるしで、半分にすること。
刀の形。
半 と 刀 で 判
もとは、農家の財産である牛を刀で切り、半分ずつに分けることだったが、のちに〈はっきりする・くべつする〉などの意味になった。

（となえかた）
判　ソに
判　よこ2本
判　たてかいて
判　たてぼう2本でおわりをはねる（りっとうをかく）

きを　つけよう　判の「半」を「羊」としない。

士（さむらい）の部・3画
その他型／一（よこぼう）

くん ―――
おん シ　ひいおじいさんは、市の**名士**として名がとおっている。
給食のメニューは、**栄養士**さんが考えている。

いみ ❶**りっぱなおとこの人**●士女・紳士・武士・名士・居士　❷**ある資格をもつ人**●栄養士・代議士・博士（博士）・飛行士・弁護士・海士
❸**軍人**●士官・士気・兵士
●**特別な読み**…博士・（海士・居士）

なりたち

おのをたてておいた形で、兵士のこと。

王につかえた兵士のことで、〈りっぱなおとこの人・軍人〉の意味をあらわす。

となえかた

士	よこ
士	たてかいて
士	みじかくよこぼう

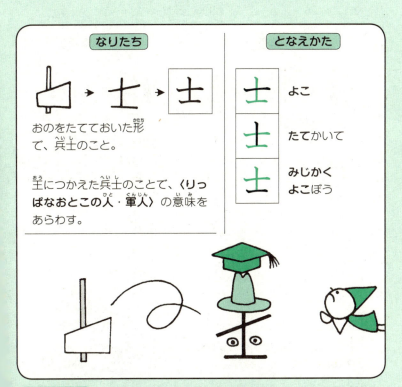

つかいわけ　ご近所**同士**のつきあい。革命の**同志**。

斤（おのづくり）の部・11画
左右型／丶（てん）

くん ことわる　友だちの遊びのさそいを**断る**のは、なかなかむずかしい。
　　　　　　　親に**断って**から公園に出かける。
　　（たつ）　はさみで布を**断ち切る**。
　　　　　　　父が健康のために、お酒を**断つ**。
おん ダン　　約束を守って、六時に家に帰ることを**断言**する。
　　　　　　　今日の夜は**断水**するので、今のうちに入浴しておく。

いみ ❶**たつ・たちきる・やめる**●断交・断食・断水・断絶・断層・断続・断念・断髪・断片・断面・切断・中断　❷**ずばりとやる・はっきりきめる**●断言・断固・断行・断定・決断・判断

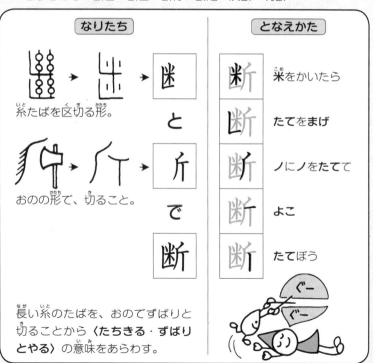

なりたち	となえかた
糸たばを区切る形。	断　米をかいたら
おのの形で、切ること。	断　たてをまげ
	断　ノにノをたてて
	断　よこ
	断　たてぼう

長い糸のたばを、おのでずばりと切ることから〈**たちきる・ずばりとやる**〉の意味をあらわす。

さんこう　断の反対の意味の字…続

弓(ゆみ)の部・11画

左右型／一(よこぼう)

くん はる
公園の池に氷が**張る**と、水鳥たちはいっせいにいなくなる。
テントを**張って**キャンプをするのは、はじめてだ。
花壇のまわりに綱を**張って**、立ち入り禁止にする。
テストの結果を父にほめられて、胸を**張る**。

おん チョウ
家の前の道路が**拡張**されて、今までなかった歩道ができる。
自分の意見を**主張**するだけでは、多くの人の反感を買う。

いみ ❶はる・ふくれる・ひろげる ●張力・拡張・緊張・伸張・膨張
❷おおげさにする・さかんにする ●張本人・誇張 ❸いいはる ●主張 ❹よそへでかける ●出張

なりたち

矢をいる弓の形で、ふくらむこと。

かみの毛の長い、つえをついた老人の形。

と

で

老人の長いかみの毛が風でひろがるように、引きしぼった弓のつるがふくらむことから〈はる・ひろげる〉の意味をあらわした。

となえかた

張	コをかいて
張	ノにつづけて かぎをはね
張	たて よこ よこ よこ
張	よこぼうながく
張	たてぼうはねたら 左右にはらう

きを つけよう 張の「ち」は一筆で書く。

車(くるま)の部・16画
左右型／一(よこぼう)

くん ——
おん ユ

輸入される農作物には、関税がかけられている。
日本は自動車を世界の国国に輸出している。
タンカーは石油を輸送する船だ。
祖父は輸血をうけて助かった。

いみ ふねや車ではこぶ・おくる● 輸血・輸出・輸送・輸入・運輸・空輸・密輸・陸輸

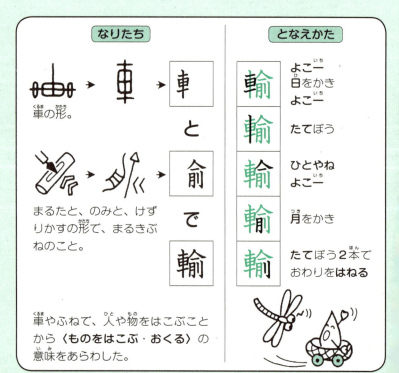

192 きを つけよう 輸と似ている字…輪・論

ノ(はらい/ぼう)の部・3画
その他型／ノ(ななめぼう)

くん ひさしい　友人が東京にひっこして、もう**久**しい。
　　　　　　　　夏休みに**久**しぶりに、北海道の親戚の家に行く。

おん キュウ　　わたしは、親知らず以外、ぜんぶ**永久歯**にはえかわった。
　　　　　　　　ふだんから、ランニングで**持久力**をつけることが大切だ。
　　（ク）　　　平和は、人類の**久遠**の理想だが、実現はむずかしそうだ。

いみ 時間が長くたつこと・ひさしい ● 久久・久遠・永久・永久歯・恒久・持久戦・持久力・耐久・長久・悠久

なりたち

人のからだを後ろからささえている形。

ささえがいるほど長い時間、人が立ちどまって動かないことから〈時間が長くたつ〉の意味をあらわした。

となえかた

かなのクに

右ばらい

きを つけよう　久を「夂」としない。

巾(はば)の部・10画
左右型／ノ(ななめぼう)

くん ──
おん シ　祖母は山おくの村で、**教師**として一生をおくった。
　　　かぜをひいたので、**医師**の診察をうける。

いみ ❶おしえる人・先生●師事・師匠・師弟・師範・恩師・教師　❷せんもんの技術をもっている人●医師・技師・講師・調理師・美容師・薬剤師・猟師・漁師　❸ぐんたい●師団
●**特別な読み**…(師走)

なりたち

地層が積みかさなった形で、集まること。

たれた旗の形。

もとは、旗のもとに集まる〈ぐんたい〉のことだったが、それが上官の意味になり、さらに上官は部下に教えることから〈おしえる人〉の意味になった。

となえかた

ノにたてて
コにコをかいて
よこぼうひいて
たてかぎはねたら
たてながく

クイズ　師走とは何月のこと？　①1月　②6月　③12月

止(とめる)の部・8画
□ その他型／一(よこぼう)

くん ——

おん ブ　柔道や剣道、弓道などは日本発祥の**武道**だ。
　　　　源頼朝は**武家**政治をおこない、鎌倉に幕府をひらいた。
　　ム　五月五日のこどもの日には、部屋に**武者人形**をかざる。
　　　　試合にでる前はいつも、**武者震い**がして、体が熱くなる。

いみ ❶いさましい・つよい●武道・武勇・武勇伝・勇武　❷いくさ・たたかい●武運・武器・武家・武芸・武士・武術・武将・武人・武装・武門・武力・武者・武者震い・威武・文武

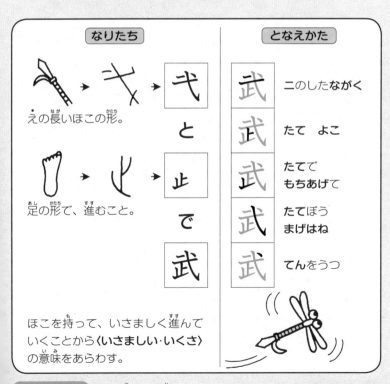

なりたち

えの長いほこの形。

足の形で、進むこと。

弋 と 止 で 武

ほこを持って、いさましく進んでいくことから〈いさましい・いくさ〉の意味をあらわす。

となえかた

ニのしたながく
たて　よこ
たてて　もちあげて
たてぼう　まげはね
てんをうつ

きを　つけよう　武と似ている字…式

舟(ふね)の部・10画
左右型／ノ(ななめぼう)

くん ―
おん コウ

本州から北海道へ行くフェリーには、いくつかの**航路**がある。
台風のため、羽田発の便はすべて**欠航**になった。

いみ 水のうえや空をわたること ● 航海・航空・航空機・航行・航跡・航程・航路・運航・帰航・寄航・欠航・周航・就航・出航・巡航・潜航・渡航・密航

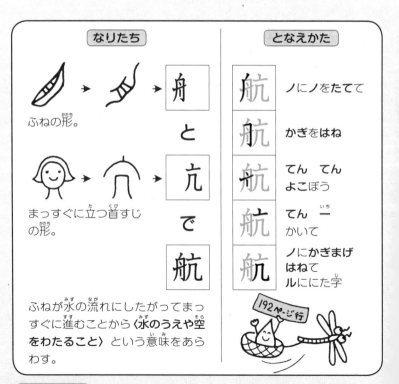

なりたち

ふねの形。

まっすぐに立つ首すじの形。

舟 と 亢 で 航

ふねが水の流れにしたがってまっすぐに進むことから〈水のうえや空をわたること〉という意味をあらわす。

となえかた

航 ノにノをたてて
航 かぎをはね
航 てん てん よこぼう
航 てん 一 かいて
航 ノにかぎまげはねてルににた字

192ページ行

きを つけよう　航と似ている字…般

冂(どうがまえ)の部・6画
□その他型／一(よこぼう)

くん ふたたび　失敗を**再**びくりかえさないように気をつける。
おん サイ　　音楽のCDを**再生**する。
　　　　　　　なおったはずの病気が**再発**した。
　　　　サ　　**再来週**から、いよいよ夏休みがはじまる。

いみ ふたたび・もう一度・かさねて ● 再会・再開・再起・再建・再現・再考・再興・再再・再出発・再生・再製・再選・再度・再読・再任・再認識・再発・再来・再来週・再来年

なりたち

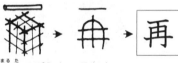

丸太のぼうと、それを積みかさねた形。

同じものをいくつも積むことから〈ふたたび・もう一度〉の意味をあらわした。

となえかた

再	よこ
再	たて　かぎはね
再	たてかいて
再	よこぼう　なかに
再	したは　そとまで

きを　つけよう　「再び」は「再たび」としない。

糸(いと)の部・11画
左右型／ノ(ななめぼう)

くん へる
- ロボットは、完成までに多くの困難を**経る**だろう。
- バスは東京を出発し、箱根を**経て**、小田原にいく。

おん ケイ
- 兄の手術後の**経過**はよく、来週には退院できそうだ。
- 父は、木材を輸入、販売する会社を**経営**している。

（キョウ）
- お坊さんが本堂の真ん中にすわって、**経文**をとなえる。

いみ ❶たて糸・たて●経緯・経線・経度・西経・東経 ❷すじみち・すじみちをたどる●経過・経験・経由・経歴・経路・神経 ❸おさめる・いとなむ●経営・経済・経費・経理 ❹おきょう●経典・経文・写経・読経

●特別な読み…(読経)

なりたち

糸をたばねた形。

はたおり機に、たて糸がはってある形で、ほそいすじのこと。

糸 と 圣 で 経

はたおり機に、たて糸を何本もはることから〈たて糸・たて〉の意味をあらわし、糸のすじから〈すじみち〉の意味にもなった。

となえかた

経 — 糸へんに
経 — フに
経 — 右ばらい
経 — 土をかく

きを つけよう 経と似ている字…径

糸(いと)の部・14画
左右型／ノ(ななめぼう)

くん ——
おん ソウ　クラスの意見を**総合**して、先生に伝える。
いつか**総理大臣**になって、日本をもっとよい国にしたい。
市民マラソン大会には、**総勢**六千人が参加した。

いみ ❶まとめる・たばねる● 総括・総計・総合・総代　❷とりしまる● 総監・総裁・総長・総統・総務・総理　❸すべての・全体の● 総意・総員・総会・総画・総額・総決算・総辞職・総数・総勢・総体・総立ち・総出・総動員・総力

きを つけよう　総の「八」を「ヘ」としない。

糸(いと)の部・9画
左右型／ノ(ななめぼう)

くん ——
おん キ　紀行文とは、旅行記のことだ。
　　　二十一世紀には、火星の有人探査が計画されている。
　　　「古事記」と「日本書紀」をあわせて記紀という。

いみ ❶すじみち・きまり ●紀律・校紀・綱紀・風紀　❷かきしるすこと ●紀行・紀要・記紀　❸時代 ●紀元・世紀・年紀・白亜紀・芳紀

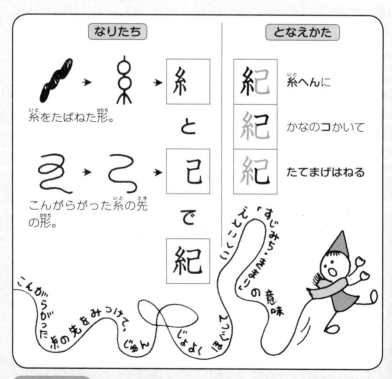

なりたち
糸をたばねた形。
こんがらがった糸の先の形。
糸 と 己 で 紀

となえかた
紀　糸へんに
紀　かなのコかいて
紀　たてまげはねる

きを　つけよう　紀の「己」を「巳」としない。

糸(いと)の部・14画
左右型／ノ(ななめぼう)

- **くん** わた　ぺちゃんこになった座布団に**綿**を入れなおす。
  風にふかれて、たんぽぽの**綿毛**がふわふわととぶ。
- **おん** メン　日本は、外国から**綿花**を輸入している。
  母といっしょに、家族旅行の**綿密**な計画をたてる。

いみ ❶もめんの糸や布・わた●**綿**入れ・**綿**毛・**綿**雪・真**綿**・**綿**織物・**綿**花・**綿**糸・**綿**製品・**綿**布・**綿**羊・純**綿**・脱脂**綿**・木**綿**　❷こまかい・ながくつづく●**綿**密・**綿綿**・連**綿**

●**特別な読み**…(木綿)

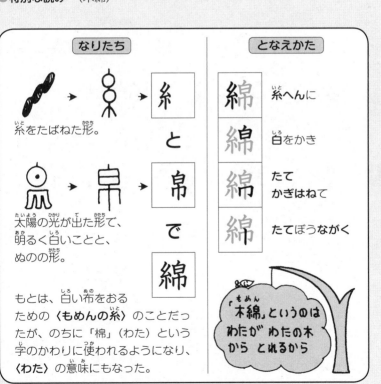

なりたち	となえかた

糸をたばねた形。

太陽の光が出た形で、明るく白いことと、ぬのの形。

もとは、白い布をおるための〈もめんの糸〉のことだったが、のちに「棉」(わた)という字のかわりに使われるようになり、〈わた〉の意味にもなった。

綿　糸へんに
綿　白をかき
綿　たて　かぎはねて
綿　たてぼうながく

「木綿」というのはわたがわたの木からとれるから

きを　つけよう　綿と似ている字…線

糸(いと)の部・17画
左右型／ノ(ななめぼう)

くん ——
おん セキ

紡績工場を見学して、羊毛から毛糸ができる工程をみた。
市長が選手のすぐれた功績をたたえる。
父の会社の業績が上がる。
今回、テストの成績がわるかった。
過去の実績が評価されて、県の代表に選ばれた。

いみ ❶わたやまゆから糸をつくること●紡績 ❷しごとのできばえ●業績・功績・事績・実績・成績・治績

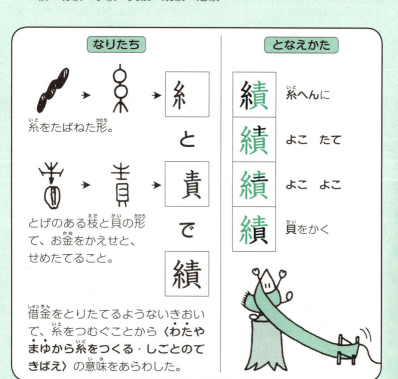

きを つけよう　績と似ている字…積

糸(いと)の部・12画
左右型／ノ(ななめぼう)

くん たえる　転校していった友人からの便りが**絶**える。
　　　　たやす　母は毎日、食卓に花を**絶**やさない。
　　　　たつ　　なにがあっても、ぼくが彼との友情を**絶**つことはない。
おん ゼツ　　恐竜は白亜紀末に**絶**滅したといわれている。
　　　　　　　富士山の頂上からのながめは**絶**景だった。

いみ ❶たちきる・やめる ● 絶縁体・絶交・絶食・絶版　❷ことわる ● 拒絶・謝絶　❸たえる・なくなる ● 絶対・絶望・絶命・絶滅・気絶・断絶・中絶　❹すぐれている・ひじょうに・すばらしい ● 絶景・絶好・絶賛・絶大・絶品　❺とおくはなれる ● 絶海・絶頂

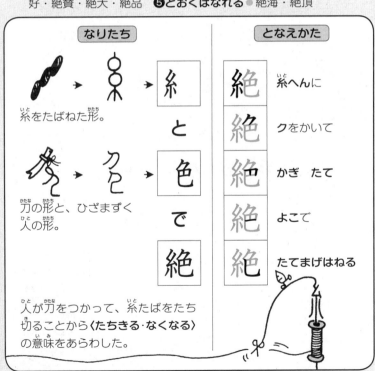

つかいわけ　コーヒーを**断**つ。連絡を**絶**つ。服地を**裁**つ。

糸(いと)の部・12画
左右型／ノ(ななめぼう)

くん (すべる)　かつて、天皇が国を統べていた時代もある。
おん トウ　戦国大名は、天下統一をめざして戦った。
二つの小学校が統合されて、新しい学校名に変わる。
和食は日本の伝統文化として、世界中に知られている。

いみ ❶ひとつにまとまる・おさめる● 統一・統計・統合・統制・統率・統治・大統領　❷つながる・つながり・血すじ● 系統・血統・正統・伝統

きを つけよう　統の「ノ」を「ル」としない。

糸(いと)の部・15画
左右型／ノ(ななめぼう)

くん あむ　毛糸でセーターを**編む**のはむずかしそうだ。
　　　　　祖父が友人と協同して、地域の郷土史を**編む**。
おん ヘン　夕焼け空を、鳥が**編隊**を組んで飛んでいく。
　　　　　三人の委員で学級新聞を**編集**するのはたいへんだ。
　　　　　ベストセラーになった**長編**のファンタジー小説を読む。

いみ ❶あむ・糸をあむ●編み物・手編み　❷くみたてる・くみこむ●編成・編隊・編入　❸材料をあつめて書物や曲にまとめる●編曲・編者・編修・編集　❹さくひん・さくひんのひとくぎり●後編・全編・前編・続編・短編・長編

なりたち	となえかた

糸をたばねた形。

戸の形と、ひもでとめたふだの形。

と

で

編

ふだと戸は、戸籍をあらわし、むかしの書類のこと。それをひもでとじて、書物のようにすることから〈あむ・くみたてる〉の意味をあらわす。

編　糸へんに
編　よこぼう みじかく
編　コ　ノとかき
編　たて かぎはねて
編　よこぼう いれたら たて2本

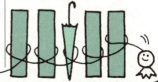

きを つけよう　編と似ている字…偏

糸(いと)の部・18画
左右型／ノ(ななめぼう)

くん おる　　草木の繊維で布を**織る**。
　　　　　　　寒いので、上着を**羽織**って外出する。
おん シキ　　ユニセフは、児童支援を目的とする国際的な**組織**だ。
　（ショク）　こと座のベガが**織女**星、わし座のアルタイルが牽牛星だ。

いみ ❶**おる・はたおり**●織物・毛織り・手織り・羽織・機織り・織女・織機・織工・交織・染織・紡織　❷**くみたてる**●組織
●**送りがなに注意**…「織物」「羽織」は、「織り物」「羽織り」とは書かない。

なりたち	となえかた

糸をたばねた形。

と

 糸へんに

 てん　一
　　　　ソ　一

口から出ることばやリズムのことと、しるしのぼうの形。

で

 白に

 たすきにてん

織

いろいろな糸をつかって、音楽のように楽しいもようのついた布をおることから〈**おる・くみたてる**〉などの意味をあらわした。

きを　つけよう　　織と似ている字…職・識

巾(はば)の部・11画
上下型／1(たてぼう)

くん つね 　父は**常**に健康に気をくばって、食べ物にも注意している。
（とこ）　ハワイは、太平洋にうかぶ**常**夏の島だ。
おん ジョウ　缶づめは、ふつうは**常**温で長期間の保存がきく。
　　　　　かぜ薬や胃薬、湿布薬は、家庭の**常**備薬だ。

いみ いつもの　かわらない● 常常・常夏・常温・常客・常勤・常時・常識・常人・常設・常道・常任・常備・常夜灯・常用・常緑樹・異常・正常・通常・日常・非常・平常・無常

つかいわけ　**異常**な低温が続く。診断結果は**異状**なし。

巾(はば)の部・5画
□ その他型／ノ(ななめぼう)

- **くん** ぬの　ガラス戸を水ぶきしたあと、かわいた**布**でふく。
  家庭科の授業で使う、もめんの**布地**を買う。
- **おん** フ　寒いので、**毛布**をかけてやすむ。
  庭に除草剤を**散布**する。
  お経を上げてくれたお坊さんに、**お布施**をつつむ。

- **いみ**
  1. ぬの・おりもの●布地・布目・布団・絹布・敷布・綿布・毛布
  2. ひろげる・ゆきわたらせる●布教・布告・布石・布設・公布・散布・配布・発布・分布・流布

なりたち

右手におのを持つ形で父親のことと、ぬのの形。

むかし、父親の服には上等なぬのをつかったことから〈ぬの・おりもの〉の意味をあらわした。また、ぬのをしいたり、ひろげたりするところから〈ひろげる・ゆきわたらせる〉の意味もあらわす。

となえかた

- ノをかいて
- よこ一
- たてにかぎはねて
- そしてさいごにたてぼうおろす

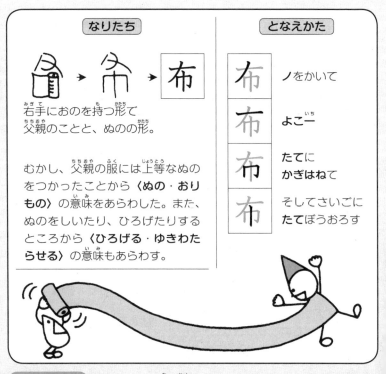

きをつけよう　布の「ナ」の書き順は「ノ」「一」。

衣(ころも)の部・14画
左右型／ヽ(てん)

- くん ——
- おん フク　トンボやセミなど、昆虫の多くは、複眼のほかに単眼をもつ。
  私鉄の複線化の工事がすすむ。
  資料集を複写する。
  リアス海岸は、複雑な海岸線が続く。

いみ　ふたつ以上ある・おなじものをつくる　●複眼・複合・複雑・複式・複写・複数・複製・複線・複文・複利・重複(重複)

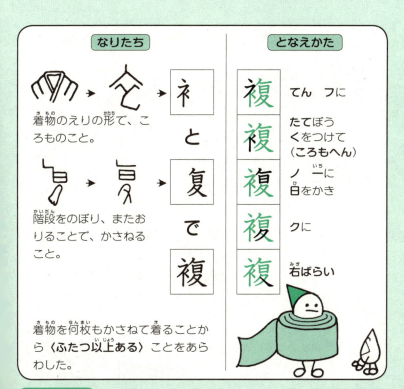

さんこう　複の反対の意味の字…単

衣(ころも)の部・14画
上下型／ノ(ななめぼう)

くん ——

おん セイ　製紙工場を見学し、おみやげにティッシュペーパーをもらう。
誕生日にもらった、飛行機のプラモデルの製作にとりかかる。
牛乳からバターやチーズ、ヨーグルトなどを製造する。
クリスマス会で、みんなに手製のクッキーをおくる。

いみ 品物をつくる●製塩・製材・製作・製糸・製紙・製図・製造・製鉄・製品・製粉・製本・製薬・官製・作製・私製・調製・手製・特製・日本製・複製

なりたち

木のとちゅうを切った形と刀の形。

着物のえりの形で、ころものこと。

着物をつくるために、長い布をとちゅうで切るように、木を刀で切って〈品物をつくる〉という意味をあらわした。

となえかた

製	ノ 一に よこぼう
製	たて かぎはねて たてぼうひいたら
製	たてぼう2本で おわりをはねて
製	てん 一 イをはね
製	左右にはらう

つかいわけ　本箱を**作製**する。予定表を**作成**する。

玄(げん)の部・11画
上下型／丶(てん)

- **くん** ひきいる　桃太郎は家来として、犬、猿、キジを**率いる**。
- **おん** リツ　試験問題の予想が当たる**確率**は低い。
- （ソツ）　アイデアに対して、**率直**な意見をもとめる。

いみ ❶みちびく・ひきいる●率先・引率・統率　❷こだわらない・すなお●率直　❸わりあい●円周率・確率・高率・視聴率・進学率・低率・能率・百分率・比率・利率　❹かるがるしい●軽率

なりたち

糸たばの上下に、ぼうをとおし、ねじって水をしぼる形。両がわは水てき。

麻糸などをつくるとき、糸たばを強くねじり、中心にひとまとめにしてしぼることからまとめて〈みちびく・ひきいる〉などの意味になった。

となえかた

 てん 一に

 く ムと つづけて

 左にンで

 右には チョン チョン

 したによこ たて 十つける

きを つけよう　「率いる」は「率きいる」としない。

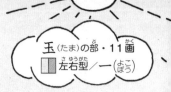

玉(たま)の部・11画
左右型／一(よこぼう)

くん あらわれる　雲が切れて、富士山の頂上が**現れ**る。
　　　あらわす　　なぞにつつまれていた怪盗が、正体を**現**した。
おん ゲン　　　　にじは、雨あがりにみられる**現**象だ。

いみ ❶**すがたがあらわれる・あらわす**●現出・現象・現像・再現・実現・出現・表現　❷**いま・じっさいにある**●現役・現金・現行・現在・現実・現職・現世・現存(現存)・現代・現地・現場(現場)・現品・現物

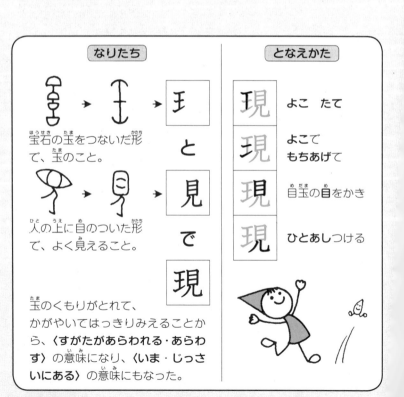

なりたち

宝石の玉をつないだ形で、玉のこと。

人の上に目のついた形で、よく見えること。

玉　と　見　で　現

玉のくもりがとれて、かがやいてはっきりみえることから、〈**すがたがあらわれる・あらわす**〉の意味になり、〈**いま・じっさいにある**〉の意味にもなった。

となえかた

現　よこ　たて
現　よこで　**もちあげて**
現　自玉の**目**をかき
現　ひとあしつける

つかいわけ　正体を**現**す。態度に**表**す。研究成果を本に**著**す。

糸(いと)の部・10画
上下型／一(よこぼう)

くん ——
おん ソ （ス）

調味料や油をひかえめに、**素材**の味をいかして料理を作る。
タンポポやサクラ、アサガオなど、草花の**色素**で布をそめる。
素足でいるのは気持ちがよい。けんかの理由を、**素直**に話す。

いみ ❶きじ・まだ手をくわえていないもの●素足・素顔・素手・素通り・素焼き・素材・素地・素質・素人 ❷かざりけがない●素直・素朴・簡素・質素 ❸もののもとになるもの●素因・元素・色素・要素 ❹日ごろ・ふだん●素行・素養・平素 ❺ざっと・かんたんな●素読・素描

●**特別な読み**…(素人)

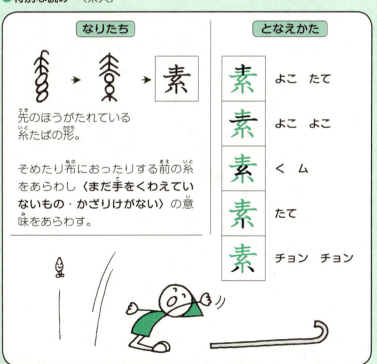

なりたち

先のほうがたれている糸たばの形。

そめたり布におったりする前の糸をあらわし〈まだ手をくわえていないもの・かざりけがない〉の意味をあらわす。

となえかた

素 よこ たて
素 よこ よこ
素 く ム
素 たて
素 チョン チョン

クイズ □素倹約 □に入るのは？ ①平 ②要 ③質

お天気(てんき)になった。

あれあれ？
つえが、空(そら)にまいあがる。

こびとも、いっしょに
飛(と)んでいく。

ぐんぐん、ぐんぐん
飛んでいく。

「ここはどこかな？」

ずっとずっと、むかしの中国。

まだ字がなくて、
絵で意味をあらわして
　　　　　いたんだよ。

ずっとずっと
　　むかしの中国

3500年前ごろの中国。

絵をかんたんに書くようになった。
略画のような字だね。

「漢字のたんじょうだ！」

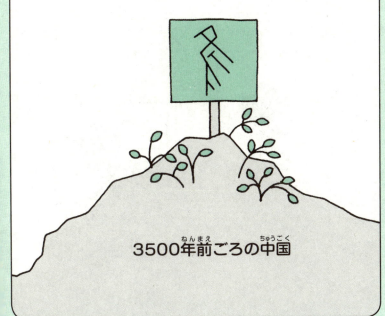

3500年前ごろの中国

3000年前ごろの中国。

だんだん、字の形になってきた。

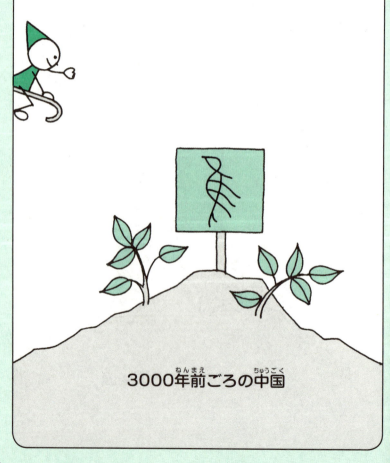

3000年前ごろの中国

1800年前ごろの中国。

漢字の形ができあがった。

こびとが、
漢字の形をうつしているよ。

「さあ、かえろう。」

もどってきたこびとが、
とんぼにいいました。

「漢字はね、中国でできたんだよ。
そして、1700年ぐらいも前から、
だんだん、日本にはいってきたんだ。」

「おみやげのつぼを
あけてみよう。」

ふたをあけると、

もくもくもく。

**クイズの
こたえ**

**こんなつかいかたも
ありますよ**

かわら	河原
はかせ	博士
まいご	迷子
めがね	眼鏡

- **よくばりクイズ**（55ページ）
  下…カゲ　　身…みシン　　荷…力に
  戸…コと　　土…トド
- **くみたてクイズ**（158・159ページ）
  義　雑　快　　舎　賛　迷
- **かくれんぼクイズ**（163ページ）
  一　二　十　口　日　早　干　人　古
  占　百　工　など
- **漢字(かんじ)なぞなぞ**（173ページ）
  ①**さぼる**（働がバラバラになって、働(はたら)かないから）
  ②**眼帯(がんたい)**（読(よ)んで字(じ)のごとく、見(み)て絵(え)のごとし）

おやおや？　おや？

となえかたのやくそく

一　よこぼう
　　（よこ一）

⼁

ー　よこはね
　　（よこぼうはねる）

⼁・ル

、　てん
　　（チョン）

）・ク

亠　てん一

L

⺍　ソ一

⌊

ㇳ　ノ一

ノ

ㇰ　ノフ（とつづける）

⼀⼁

ヨ　ヨのなかながく

⼀⼁

つぼの
なかから、
　もくもくもく！

たてぼう（たて）	フ	かぎまげ（うち）はね
たてはね（たてぼうはねる）	乙・て	かぎまげ（そと）はね
たて（ぼう）まげはね	3・3	フにつづける／フをつづける
たてまげ	ノ	もちあげる
たてまげはねる	ノ	左(ひだり)ばらい
たてたノ（ノをたてる）	＼	右(みぎ)ばらい
かぎ	ㄨ・ㄑ	左右(さゆう)にはらう
かぎはね	ㄨ	りょうばらい

パチンと音がして
つぼがわれ、
中から
かぎがとびだした。

漢字を
さがすときは
〈さくいん〉の
とびらを
あけてごらん。

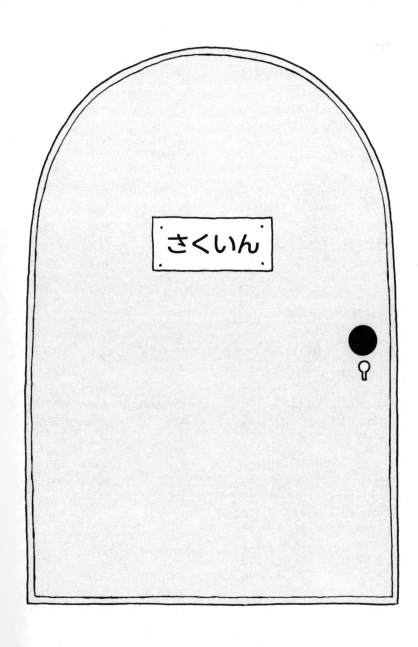

おん / くん さくいん

❶ 読みのわかっている漢字をしらべるときにつかいます。
❷ カタカナは音読み、ひらがなは訓読み、細字は送りがなです。（　）は、小学校で習わない読みです。
❸ 五十音順で、音読み、訓読みの順にならべてあります。同じ読みの場合は、画数の少ない順です。
❹ 数字は、その漢字がのっているページです。

イ	囲	138
イ	易	111
イ	移	125
いきおい	勢	90
（いさぎよい）	潔	145
いとなむ	営	130
いる	居	30
イン	因	136

うつす	移	125
うつる	移	125
（うる）	得	69

（あたい）	価	19
アツ	圧	174
あつい	厚	150
（あばく）	暴	139
あばれる	暴	139
あます	余	132
あまる	余	132
あむ	編	205
（あやまち）	過	76
（あやまつ）	過	76
（あやまる）	謝	46
あらわす	現	212
あらわれる	現	212
ある	在	165

エイ	永	149
エイ	営	130
エイ	衛	67
エキ	易	111
エキ	益	177
エキ	液	148
えだ	枝	120
える	得	69
エン	演	143

オウ	応	83
オウ	往	70
（オウ）	桜	119

(おかす)	犯	92
(おこす)	興	51
(おこる)	興	51
おさまる	修	26
おさめる	修	26
おる	織	206

か

カ	可	37
カ	仮	18
カ	価	19
カ	河	144
カ	過	76
カイ	快	81
カイ	解	94
かう	飼	31
かぎる	限	152
カク	格	117
カク	確	156
ガク	額	34
かこう	囲	138
かこむ	囲	138
かす	貸	109
かた	型	168
かまう	構	116
かまえる	構	116
かり	仮	18
かわ	河	144
カン	刊	185
カン	幹	170
カン	慣	82
ガン	眼	35

き

キ	紀	200
キ	基	166
キ	寄	135
キ	規	14
キ	喜	40
ギ	技	60
ギ	義	95
きく	効	88
きずく	築	123
ギャク	逆	75
キュウ	久	193
キュウ	旧	140
キュウ	救	58
キョ	居	30
キョ	許	44
キョウ	境	162
キョウ	興	51
(キョウ)	経	198
(きわ)	際	154
キン	均	161
キン	禁	181

く

ク	句	38
(ク)	久	193
くらべる	比	27

け

(ケ)	仮	18
(ゲ)	解	94
ケイ	型	168

ケイ	経	198
(ケイ)	境	162
ケツ	潔	145
けわしい	険	153
ケン	件	15
ケン	険	153
ケン	検	118
ゲン	限	152
ゲン	現	212
ゲン	減	147
(ゲン)	眼	35

こ

コ	故	57
コ	個	25
こ	粉	128
ゴ	護	48
コウ	効	88
コウ	耕	182
コウ	航	196
コウ	鉱	160
コウ	構	116
コウ	興	51
コウ	講	45
(コウ)	厚	150
(コウ)	格	117
こえ	肥	86
こえる	肥	86
コク	告	39
こころざし	志	85
こころざす	志	85
こころよい	快	81
こたえる	応	83
ことわる	断	190
こな	粉	128
こむ	混	146

こやし	肥	86
こやす	肥	86
ころす	殺	59
コン	混	146

さ

サ	再	197
サ	査	113
サイ	再	197
サイ	災	176
サイ	妻	29
サイ	採	61
サイ	際	154
(サイ)	殺	59
(サイ)	財	100
ザイ	在	165
ザイ	財	100
ザイ	罪	184
さか	逆	75
さかい	境	162
さからう	逆	75
さくら	桜	119
(さげる)	提	65
ささえる	支	53
(さずかる)	授	63
(さずける)	授	63
サツ	殺	59
ザツ	雑	97
サン	酸	183
サン	賛	103

し

シ	士	189
シ	支	53
シ	史	54
シ	志	85
シ	師	194
シ	資	108
シ	飼	31
(シ)	示	179
(シ)	枝	120
ジ	示	179
(ジ)	似	20
シキ	織	206
シキ	識	49
(シチ)	質	104
シツ	質	104
しめす	示	179
シャ	舎	131
シャ	謝	46
(シュ)	修	26
ジュ	授	63
シュウ	修	26
ジュツ	述	74
ジュツ	術	68
ジュン	準	141
ジョ	序	133
ショウ	招	64
ショウ	証	43
ショウ	象	99
ショウ	賞	110
(ショウ)	性	79
(ショウ)	政	56
(ショウ)	精	127
ジョウ	条	122
ジョウ	状	93
ジョウ	常	207
ジョウ	情	80
ショク	職	41
(ショク)	織	206

す

(ス)	素	213
(すい)	酸	183
すぎる	過	76
すくう	救	58
すごす	過	76
(すべる)	統	204

せ

セイ	制	187
セイ	性	79
セイ	政	56
セイ	勢	90
セイ	精	127
セイ	製	210
(セイ)	情	80
ゼイ	税	126
セキ	責	105
セキ	績	202
セツ	接	62
セツ	設	42
(セツ)	殺	59
ゼツ	絶	203
せめる	責	105

そ

ソ	祖	180
ソ	素	213
ソウ	総	199
ゾウ	造	72
ゾウ	象	99
ゾウ	像	16
ゾウ	増	164
ゾウ	雑	97
ソク	則	186
ソク	測	142
ゾク	属	112
(そこなう)	損	52
(そこねる)	損	52
(ソツ)	率	211
そなえる	備	22
そなわる	備	22
ソン	損	52

た

タイ	態	84
(タイ)	貸	109
たえる	絶	203
たがやす	耕	182
たしか	確	156
たしかめる	確	156
たつ	絶	203
(たつ)	断	190
たもつ	保	17
たやす	絶	203
ダン	団	137
ダン	断	190

ち

(チ)	質	104
チク	築	123
チョ	貯	101
チョウ	張	191

つ

(ついえる)	費	107
(ついやす)	費	107
(つぐ)	接	62
つくる	造	72
つげる	告	39
つとまる	務	89
つとめる	務	89
つね	常	207
つま	妻	29
つみ	罪	184

て

テイ	停	23
テイ	提	65
テイ	程	124
テキ	適	77

と

トウ	統	204
ドウ	堂	169
ドウ	銅	157
ドウ	導	66
とかす	解	94

トク	得	69
とく	解	94
ドク	毒	129
ドク	独	91
とける	解	94
(とこ)	常	207
とまる	留	172
とめる	留	172
とる	採	61
(トン)	団	137

な

ながい	永	149
なさけ	情	80
ならす	慣	82
なれる	慣	82

に

にる	似	20
ニン	任	21

ぬ

ぬの	布	208

ね

ネン	燃	175

の

ノウ	能	98
のべる	述	74

は

ハ	破	155
はか	墓	167
はかる	測	142
(バク)	暴	139
はる	張	191
ハン	犯	92
ハン	判	188
ハン	版	121
バン	判	188

ひ

ヒ	比	27
ヒ	肥	86
ヒ	非	96
ヒ	費	107
ビ	備	22
ひきいる	率	211
ひさしい	久	193
ひたい	額	34
ひとり	独	91
ヒョウ	評	47
(ヒン)	貧	102
ビン	貧	102

ふ

フ	布	208
フ	婦	28
ブ	武	195
ふえる	増	164
フク	復	71
フク	複	209
ふせぐ	防	151
ふたたび	再	197
ブツ	仏	24
ふやす	増	164
フン	粉	128

へ

へらす	減	147
へる	経	198
へる	減	147
ヘン	編	205
ベン	弁	50

ほ

ホ	保	17
ボ	墓	167
ホウ	報	32
ホウ	豊	178
ボウ	防	151
ボウ	貿	106
ボウ	暴	139
(ほど)	程	124
ほとけ	仏	24

ま

まかす	任	21
まかせる	任	21
まざる	混	146
まじる	混	146
ます	増	164
まずしい	貧	102
まぜる	混	146
(まつりごと)	政	56
(まなこ)	眼	35
まねく	招	64
まよう	迷	73

み

みき	幹	170
みちびく	導	66
ミャク	脈	87

む

ム	武	195
ム	務	89
ム	夢	36
(むくいる)	報	32

め

(メイ)	迷	73
メン	綿	201

も

もうける	設	42
もえる	燃	175
もす	燃	175
(もと)	基	166
(もとい)	基	166
もやす	燃	175

や

(ヤク)	益	177
やさしい	易	111
やぶる	破	155
やぶれる	破	155

ゆ

ユ	輸	192
(ゆえ)	故	57
ゆたか	豊	178
ゆめ	夢	36
ゆるす	許	44

よ

ヨ	余	132
ヨウ	容	134
よせる	寄	135
よる	寄	135
(よる)	因	136
よろこぶ	喜	40

り

リツ	率	211
リャク	略	171
リュウ	留	172
リョウ	領	33

る

ル	留	172

れ

レキ	歴	78

わ

(わざ)	技	60
(わざわい)	災	176
わた	綿	201

画さくいん

1. 漢字の読みがわからないときに、漢字の画数をかぞえて文字をさがします。
2. 画数の少ない順にならべてあります。画数が同じものは、音読みの五十音順です。
3. 数字は、その漢字がのっているページです。

3画
- 久 ……… 193
- 士 ……… 189

4画
- 支 ……… 53
- 比 ……… 27
- 仏 ……… 24

5画
- 圧 ……… 174
- 永 ……… 149
- 可 ……… 37
- 刊 ……… 185
- 旧 ……… 140
- 句 ……… 38
- 史 ……… 54
- 示 ……… 179
- 犯 ……… 92
- 布 ……… 208
- 弁 ……… 50

6画
- 因 ……… 136
- 仮 ……… 18
- 件 ……… 15
- 再 ……… 197
- 在 ……… 165
- 団 ……… 137
- 任 ……… 21

7画
- 囲 ……… 138
- 応 ……… 83
- 快 ……… 81
- 技 ……… 60
- 均 ……… 161
- 告 ……… 39
- 災 ……… 176
- 志 ……… 85
- 似 ……… 20
- 序 ……… 133
- 条 ……… 122
- 状 ……… 93
- 判 ……… 188
- 防 ……… 151
- 余 ……… 132

8画
- 易 ……… 111
- 往 ……… 70
- 価 ……… 19
- 河 ……… 144
- 居 ……… 30
- 効 ……… 88
- 妻 ……… 29
- 枝 ……… 120
- 舎 ……… 131

述 …… 74	**10画**	術 …… 68
招 …… 64	益 …… 177	常 …… 207
制 …… 187	桜 …… 119	情 …… 80
性 …… 79	格 …… 117	責 …… 105
毒 …… 129	個 …… 25	接 …… 62
版 …… 121	耕 …… 182	設 …… 42
肥 …… 86	航 …… 196	率 …… 211
非 …… 96	財 …… 100	断 …… 190
武 …… 195	殺 …… 59	張 …… 191
	師 …… 194	停 …… 23
9画	修 …… 26	堂 …… 169
紀 …… 200	素 …… 213	得 …… 69
逆 …… 75	造 …… 72	貧 …… 102
型 …… 168	能 …… 98	婦 …… 28
限 …… 152	破 …… 155	務 …… 89
故 …… 57	粉 …… 128	略 …… 171
厚 …… 150	脈 …… 87	
査 …… 113	容 …… 134	**12画**
政 …… 56	留 …… 172	営 …… 130
祖 …… 180		過 …… 76
則 …… 186	**11画**	喜 …… 40
独 …… 91	移 …… 125	検 …… 118
保 …… 17	液 …… 148	減 …… 147
迷 …… 73	眼 …… 35	証 …… 43
	基 …… 166	象 …… 99
	寄 …… 135	税 …… 126
	規 …… 14	絶 …… 203
	救 …… 58	
	許 …… 44	
	経 …… 198	
	険 …… 153	
	現 …… 212	
	混 …… 146	
	採 …… 61	
	授 …… 63	

測	142
属	112
貸	109
貯	101
提	65
程	124
統	204
費	107
備	22
評	47
復	71
報	32
貿	106

13画

解	94
幹	170
義	95
禁	181
鉱	160
罪	184
資	108
飼	31
準	141
勢	90

損	52
墓	167
豊	178
夢	36

14画

演	143
慣	82
境	162
構	116
際	154
雑	97
酸	183
精	127
製	210
総	199
像	16
増	164
態	84
適	77
銅	157
複	209
綿	201
領	33
歴	78

15画

確	156
潔	145
賛	103
質	104
賞	110
導	66
編	205
暴	139

16画

衛	67
興	51
築	123
燃	175
輸	192

17画

講	45
謝	46
績	202

18画

額	34
織	206
職	41

19画

識	49

20画

護	48

部首さくいん

❶ ここでは、5年生でならう漢字を部首ごとにまとめました。
❷ 部首は、画数順にならべてあります。
❸ 同じ部首のなかでは、漢字の画数の少ない順にならべてあります。画数が同じものは、音読みの五十音順です。
❹ 数字は、その漢字がのっているページです。
＊部首のよび名や分け方は、辞典によってことなることがあります。

ノ(はらいぼう)の部

久 ‥‥‥‥193

人(ひと)の部
イ(にんべん)
人(ひとやね)

仏 ‥‥‥‥24
仮 ‥‥‥‥18
件 ‥‥‥‥15
任 ‥‥‥‥21
似 ‥‥‥‥20
余 ‥‥‥‥132
価 ‥‥‥‥19
舎 ‥‥‥‥131
保 ‥‥‥‥17
個 ‥‥‥‥25
修 ‥‥‥‥26
停 ‥‥‥‥23
備 ‥‥‥‥22
像 ‥‥‥‥16

冂(どうがまえ)の部

再 ‥‥‥‥197

刀(かたな)の部
刂(りっとう)

刊 ‥‥‥‥185
判 ‥‥‥‥188
制 ‥‥‥‥187
則 ‥‥‥‥186

力(ちから)の部

効 ‥‥‥‥88
務 ‥‥‥‥89
勢 ‥‥‥‥90

厂(がんだれ)の部

厚 ‥‥‥‥150

口(くち)の部

可 ‥‥‥‥37
句 ‥‥‥‥38
史 ‥‥‥‥54
告 ‥‥‥‥39
喜 ‥‥‥‥40

囗(くにがまえ)の部

因 ‥‥‥‥136
団 ‥‥‥‥137
囲 ‥‥‥‥138

土(つち)の部
土(つちへん)

圧 ‥‥‥‥174
在 ‥‥‥‥165
均 ‥‥‥‥161
型 ‥‥‥‥168
基 ‥‥‥‥166
堂 ‥‥‥‥169
報 ‥‥‥‥32
墓 ‥‥‥‥167
境 ‥‥‥‥162
増 ‥‥‥‥164

士(さむらい)の部

士 ‥‥‥‥189

夕(た)の部

夢 ‥‥‥‥36

女(おんな)の部
女(おんなへん)

妻 ‥‥‥‥29
婦 ‥‥‥‥28

245

宀（うかんむり）の部
容 ……… 134
寄 ……… 135

寸（すん）の部
導 ……… 66

尸（しかばね）の部
居 ……… 30
属 ……… 112

巾（はば）の部
布 ……… 208
師 ……… 194
常 ……… 207

干（いち じゅう）の部
幹 ……… 170

广（まだれ）の部
序 ……… 133

廾（にじゅう あし）の部
弁 ……… 50

弓（ゆみ）の部
弓（ゆみへん）
張 ……… 191

彳（ぎょうにんべん）の部
往 ……… 70
得 ……… 69
復 ……… 71

灬（つ）の部
営 ……… 130

辶（しんにょう）の部
述 ……… 74
逆 ……… 75
迷 ……… 73
造 ……… 72
過 ……… 76
適 ……… 77

阝（こざとへん）の部
防 ……… 151
限 ……… 152
険 ……… 153
際 ……… 154

心（こころ）の部
忄（りっしんべん）
応 ……… 83
快 ……… 81
志 ……… 85
性 ……… 79
情 ……… 80
慣 ……… 82
態 ……… 84

手（て）の部
扌（てへん）
技 ……… 60
招 ……… 64
採 ……… 61
授 ……… 63
接 ……… 62
提 ……… 65
損 ……… 52

支（し）の部
支 ……… 53

攵（のぶん）の部
故 ……… 57
政 ……… 56
救 ……… 58

斤（おのづくり）の部
断 ……… 190

日（ひ）の部
旧 ……… 140
易 ……… 111
暴 ……… 139

木（き）の部
木（きへん）
条 ……… 122
枝 ……… 120
査 ……… 113
桜 ……… 119
格 ……… 117
検 ……… 118
構 ……… 116

止（とめる）の部
武 ……… 195
歴 ……… 78

殳（るまた）の部
殺 ……… 59

犬（いぬ）の部
犭（けものへん）
犯 ……… 92
状 ……… 93
独 ……… 91

比(くらべる)の部

比 ･････････27

水(みず)の部
氵(さんずい)

永 ･････････149
河 ･････････144
液 ･････････148
混 ･････････146
減 ･････････147
測 ･････････142
準 ･････････141
演 ･････････143
潔 ･････････145

火(ひ)の部
火(ひへん)

災 ･････････176
燃 ･････････175

片(かた)の部
片(かたへん)

版 ･････････121

母(はは)の部
母(なかれ)

毒 ･････････129

玄(げん)の部

率 ･････････211

玉(たま)の部
王(おうへん)

現 ･････････212

田(た)の部
田(たへん)

留 ･････････172
略 ･････････171

皿(さら)の部

益 ･････････177

目(め)の部
目(めへん)

眼 ･････････35

石(いし)の部
石(いしへん)

破 ･････････155
確 ･････････156

示(しめす)の部
礻(しめすへん)

示 ･････････179
祖 ･････････180
禁 ･････････181

禾(のぎへん)の部

移 ･････････125
税 ･････････126
程 ･････････124

罒(あみがしら)の部

罪 ･････････184

竹(たけ)の部
⺮(たけかんむり)

築 ･････････123

米(こめ)の部
米(こめへん)

粉 ･････････128
精 ･････････127

糸(いと)の部
糸(いとへん)

紀 ･････････200
素 ･････････213
経 ･････････198
絶 ･････････203
統 ･････････204
総 ･････････199
綿 ･････････201
編 ･････････205
績 ･････････202
織 ･････････206

羊(ひつじ)の部

義 ･････････95

耒(すきへん)の部

耕 ･････････182

耳(みみ)の部
耳(みみへん)

職 ･････････41

247

肉(にく)の部
月(にくづき)

肥 ･････････ 86
能 ･････････ 98
脈 ･････････ 87

臼(うす)の部

興 ･････････ 51

舟(ふね)の部
舟(ふねへん)

航 ･････････ 196

行(ぎょう/がまえ)の部

術 ･････････ 68
衛 ･････････ 67

衣(ころも)の部
衤(ころもへん)

製 ･････････ 210
複 ･････････ 209

見(みる)の部

規 ･････････ 14

角(つの)の部
角(つのへん)

解 ･････････ 94

言(げん)の部
言(ごんべん)

許 ･････････ 44
設 ･････････ 42
証 ･････････ 43
評 ･････････ 47
講 ･････････ 45
謝 ･････････ 46
識 ･････････ 49
護 ･････････ 48

豆(まめ)の部

豊 ･････････ 178

豕(ぶた)の部

象 ･････････ 99

貝(かい)の部
貝(かいへん)

財 ･････････ 100
貴 ･････････ 105
貧 ･････････ 102
貸 ･････････ 109
貯 ･････････ 101
費 ･････････ 107
貿 ･････････ 106
資 ･････････ 108
賛 ･････････ 103
質 ･････････ 104
賞 ･････････ 110

車(くるま)の部
車(くるまへん)

輸 ･････････ 192

酉(ひよみのとり)の部
酉(とりへん)

酸 ･････････ 183

金(かね)の部
釒(かねへん)

鉱 ･････････ 160
銅 ･････････ 157

隹(ふるとり)の部

雑 ･････････ 97

非(あらず)の部

非 ･････････ 96

頁(おおがい)の部

領 ･････････ 33
額 ･････････ 34

食(しょく)の部
飠(しょくへん)

飼 ･････････ 31

下村式 はやくりさくいん®

❶読みや画数がわからなくても、「型」と「書きはじめ（書き順の一画め）」を手がかりに漢字をさがすことができます。型ごとに、書きはじめでわけた漢字を、画数の少ない順にならべ、画数が同じものは、音読みの五十音順にならべてあります。

3つの型	■ 左右型	たてのまっすぐな線、またはへん・つくりなどで、左右にわけられる（川、休など）
	■ 上下型	よこのまっすぐな線、またはかんむり・あしなどで、上下にわけられる（六、草など）
	■ その他型	左右にも上下にもわけづらい（耳、タなど）

4つの書きはじめ	一（よこぼう）	書きはじめが 一（十、木など）
	｜（たてぼう）	書きはじめが ｜（目、口など）
	ノ（ななめぼう）	書きはじめが ノ（休、竹など）
	ヽ（てん）	書きはじめが ヽ（空、音など）

❷型や書きはじめをまようものも、さがせるようになっています。本文にある型とちがうものや、書きはじめをまちがえやすいものは、赤字でしめしてあります。
❸数字は、その漢字がのっているページです。

左右型

一（よこぼう）

比 ・・・・・・・・・・ 27
刊 ・・・・・・・・・・ 185
技 ・・・・・・・・・・ 60
均 ・・・・・・・・・・ 161
防 ・・・・・・・・・・ 151
枝 ・・・・・・・・・・ 120
招 ・・・・・・・・・・ 64
非→ななめぼう ・・ 96
限 ・・・・・・・・・・ 152
故 ・・・・・・・・・・ 57
政 ・・・・・・・・・・ 56
桜 ・・・・・・・・・・ 119
格 ・・・・・・・・・・ 117

耕 ・・・・・・・・・・ 182
破 ・・・・・・・・・・ 155
粉→てん ・・・・・ 128
規 ・・・・・・・・・・ 14
救 ・・・・・・・・・・ 58
険 ・・・・・・・・・・ 153
現 ・・・・・・・・・・ 212
採 ・・・・・・・・・・ 61
授 ・・・・・・・・・・ 63
接 ・・・・・・・・・・ 62
断→てん ・・・・・ 190
張 ・・・・・・・・・・ 191
婦→ななめぼう ・・ 28
務 ・・・・・・・・・・ 89
検 ・・・・・・・・・・ 118
提 ・・・・・・・・・・ 65

報 ・・・・・・・・・・ 32
幹 ・・・・・・・・・・ 170
損 ・・・・・・・・・・ 52
境 ・・・・・・・・・・ 162
構 ・・・・・・・・・・ 116
際 ・・・・・・・・・・ 154
雑→ななめぼう ・・ 97
酸 ・・・・・・・・・・ 183
精→てん ・・・・・ 127
増 ・・・・・・・・・・ 164
確 ・・・・・・・・・・ 156
輸 ・・・・・・・・・・ 192
職 ・・・・・・・・・・ 41

│（たてぼう）	修 …… 26	丶（てん）
旧 …… 140	能 …… 98	快 …… 81
快→てん …… 81	脈 …… 87	状→たてぼう …… 93
状 …… 93	移 …… 125	判 …… 188
防→よこぼう …… 151	経 …… 198	河 …… 144
性→てん …… 79	術 …… 68	効 …… 88
限→よこぼう …… 152	停 …… 23	性 …… 79
則 …… 186	得 …… 69	祖 …… 180
財 …… 100	婦 …… 28	粉 …… 128
眼 …… 35	税 …… 126	液 …… 148
険→よこぼう …… 153	絶 …… 203	許 …… 44
情→てん …… 80	程 …… 124	混 …… 146
略 …… 171	統 …… 204	情 …… 80
貯 …… 101	備 …… 22	設 …… 42
慣→てん …… 82	復 …… 71	断 …… 190
際→よこぼう …… 154	解 …… 94	減 …… 147
	鉱 …… 160	証 …… 43
ノ（ななめぼう）	飼 …… 31	測 …… 142
仏 …… 24	雑 …… 97	評 …… 47
犯 …… 92	総 …… 199	演 …… 143
仮 …… 18	像 …… 16	慣 …… 82
件 …… 15	銅 …… 157	精 …… 127
任 …… 21	綿 …… 201	複 …… 209
似 …… 20	領 …… 33	潔 …… 145
往 …… 70	編 …… 205	燃 …… 175
価 …… 19	衛 …… 67	講 …… 45
制 …… 187	績 …… 202	謝 …… 46
版 …… 121	織 …… 206	額 …… 34
肥 …… 86		識 …… 49
非 …… 96		護 …… 48
紀 …… 200		
独 …… 91		
保 …… 17		
個 …… 25		
航 …… 196		
殺 …… 59		
師 …… 194		

上下型

一（よこぼう）

示 ･･････････ 179
再→その他型 ･･･ 197
志 ･･････････ 85
居 ･･････････ 30
妻 ･･････････ 29
毒 ･･････････ 129
型 ･･････････ 168
査 ･･････････ 113
素 ･･････････ 213
基 ･･････････ 166
責 ･･････････ 105
喜 ･･････････ 40
属 ･･････････ 112
費 ･･････････ 107
禁 ･･････････ 181
勢 ･･････････ 90
墓 ･･････････ 167
夢 ･･････････ 36
歴→その他型 ･･･ 78
賛 ･･････････ 103

｜（たてぼう）

易→その他型 ･･･ 111
常 ･･････････ 207
堂 ･･････････ 169
罪 ･･････････ 184
豊 ･･････････ 178
賞 ･･････････ 110
暴 ･･････････ 139

ノ（ななめぼう）

弁 ･･････････ 50
告 ･･････････ 39
災 ･･････････ 176
条 ･･････････ 122
余 ･･････････ 132
舎 ･･････････ 131
留 ･･････････ 172
貧 ･･････････ 102
貸 ･･････････ 109
賞 ･･････････ 106
製 ･･････････ 210
態 ･･････････ 84
質 ･･････････ 104
興 ･･････････ 51
築 ･･････････ 123

、（てん）

永 ･･････････ 149
益 ･･････････ 177
容 ･･････････ 134
寄 ･･････････ 135
率 ･･････････ 211
営 ･･････････ 130
義 ･･････････ 95
資 ･･････････ 108
準→その他型 ･･･ 141
導 ･･････････ 66

その他型

一（よこぼう）

士 ･･････････ 189
支 ･･････････ 53
圧 ･･････････ 174
可 ･･････････ 37
布→ななめぼう ･ 208
再 ･･････････ 197
在 ･･････････ 165
居→上下型 ･････ 30
妻→上下型 ･････ 29
述 ･･････････ 74
武 ･･････････ 195
厚 ･･････････ 150
迷→てん ･････ 73
素→上下型 ･･･ 213
基→上下型 ･･･ 166
属→上下型 ･･･ 112
費→上下型 ･･･ 107
歴 ･･････････ 78

##｜（たてぼう）

- 史 …… 54
- 因 …… 136
- 団 …… 137
- 囲 …… 138
- 易 …… 111
- 堂→上下型 …… 169
- 過 …… 76
- 罪→上下型 …… 184
- 暴→上下型 …… 139

ノ（ななめぼう）

- 久 …… 193
- 句 …… 38
- 布 …… 208
- 弁→上下型 …… 50
- 条→上下型 …… 122
- 余→上下型 …… 132
- 舎→上下型 …… 131
- 造 …… 72
- 象 …… 99
- 興→上下型 …… 51

、（てん）

- 永→上下型 …… 149
- 応 …… 83
- 序 …… 133
- 述→よこぼう …… 74
- 逆 …… 75
- 迷 …… 73
- 益→上下型 …… 177
- 造→ななめぼう …… 72
- 容→上下型 …… 134
- 率→上下型 …… 211
- 営→上下型 …… 130
- 過→たてぼう …… 76
- 義→上下型 …… 95
- 準 …… 141
- 適 …… 77
- 導→上下型 …… 66

クイズのこたえ

20ページ…②	24ページ…①	25ページ…件	29ページ…③
31ページ…犬(いぬ)	34ページ…①	36ページ…①	38ページ…③
50ページ…②	53ページ…経	57ページ…②	77ページ…②
78ページ…②	80ページ…②	82ページ…②	83ページ…①
96ページ…②	97ページ…①	98ページ…①	103ページ…①
104ページ…①	112ページ…①	117ページ…雑	121ページ…③
122ページ…略	134ページ…額	135ページ…③	140ページ…②
143ページ…②	146ページ…①	151ページ…②	155ページ…②
160ページ…応	169ページ…賞	178ページ…①	194ページ…③
213ページ…③			

漢字ファミリー分類表

下村式の漢字学習では、漢字を「なりたち」の意味から、人体①〜⑤・動物・植物・住居・自然・道具・服飾・その他の計12の「漢字ファミリー」にわけて学びます。

漢字ファミリーのシンボルマーク

人体　動物　植物　住居　自然　道具　服飾　その他

「漢字ファミリー分類表」は、小学校でならう漢字1026字を、漢字ファミリーごとにまとめて、ならべたものです。漢字の下の数字は、ならう学年です。色のついた数字は、この本にててくる漢字です。
＊学年をこえて、なりたちを優先したので、本文とは順番がかわっています。

こんなふうに　つかってみよう

ほかの学年では、おなじ漢字ファミリーのどんな漢字を学んだか、また、これからどんな漢字を学ぶのか、思いだしたり、たしかめたりすれば、学習が深まるてしょう。

人体① 全身（人の全身の形からできた字）

大	太	天	立	並	夫	失	央	交	文	幸	報	要	人	以
1	2	1	1	6	4	4	3	2	1	3	5	4	1	4

似	休	体	仏	伝	仁	仕	任	何	代	他	付	仲	仮	件
5	1	2	5	4	6	3	5	2	3	3	4	4	5	5

作	位	住	信	倍	低	供	使	便	例	側	価	値	係	保
2	4	3	4	3	4	6	3	4	4	4	5	6	3	5

候	修	借	個	俵	俳	優	健	停	備	働	佐	傷	像	億
4	5	4	5	6	6	6	4	5	5	4	4	6	5	4

聖	化	北	比	后	司	身	女	母	妻	姿	委	姉	妹	婦
6	3	2	5	6	4	3	1	2	5	6	3	2	2	5

好	始	媛	子	育	児	字	学	存	季	孫	乳	長	老	考
4	3	4	1	3	4	1	1	6	4	4	6	2	4	2

孝	欠	歌	次	欲	屋	届	展	病	痛	己	丸	巻	包	色
6	4	2	3	6	3	6	6	3	6	6	2	6	4	2

局	居	危	印	今	令	会	合	食	飲	飯	飼
3	5	6	4	2	4	2	2	2	3	4	5

人体② 頭 (人の頭や顔の形からできた字)

看6 口1 語2 和3 設5 競4
見1 話2 訓4 護5
目1 音1 誌4 警6
願4 言2 詞6 誕6
類4 聞2 詩6 諸6
題3 職5 記2 訳6 調5 誤6
領5 臣4 耳1 議4 謝5 許5 計2
預6 観4 鼻3 講5 識6 認6 課4
順6 親2 自2 識6 誠6 試4
頂6 視6 歯3 辞4 論6 討6 評5
額5 規5 喜5 否6 古2 告4 君3 商3 問3 談3
顔2 覧6 号5 句5 可5 味3 呼6 吸6 唱4 舌6 各4 名1 証5
頭2 覚4 名1 各4 君3 告2 古2 否6 喜5 号5 句5 可5 味3 呼6 吸6 唱4
面3 相3 眼5 直2 真3 首2 省4 品3 命3 読2 訪6 善6

人体③ 手 (人の手の形からできた字)

手1 挙4 公2 友2 指3 持3 投3 打3 拾6 捨6 拝6 折4 技5 招5 授5 採5
探6 操6 批6 拡6 担6 接5 推6 提5 揮6 損5 共4 具3 異6 興5 弁5 奏6
承6 尊6 有3 右1 左1 差4 尺6 反3 収6 取3 最4 受3 寸6 寺2 将6 専6
導5 対3 射6 就6 改4 放3 故5 政5 教2 数2 敗4 救5 散4 敬6 敵6 整3
段6 殺5 支5 争4 史5 書2 事3

人体④ 足（人の足の形からできた字）

足1 路3 止2 正1 出2 歩2 歴5 疑6 夏2 発3 登3 先1 元2 兄2 光2 党6
走2 起3 行2 街4 術5 衛5 往5 復5 径4 役3 後2 待3 徒4 従6 律6 得5
徳4 道2 通2 進3 遠2 近2 週2 過5 遊3 迷5 返3 逆5 達4 追3 退6 連4
速3 運3 送3 述5 辺4 選4 造5 適5 遺5 帰2 建4 延6

人体⑤ その他（人の体の中やうでの形からできた字）

心2 思2 意3 念4 想3 感3 応5 急3 息3 志5 忠6 恩6 愛4 悲3 悪3 態5
忘6 憲6 快5 性5 情5 慣5 肉2 胃6 背6 脳6 胸6 肺6 腹6 腸6 臓6 脈5
肥5 骨6 死3 残4 力1 協4 加4 助3 動3 功4 効5 勤6 勉3 労4 努4 勇4
勢5 務5 勝3

動物（動物の形からできた字）

犬1 状5 犯5 独5 牛2 半2 物3 牧4 特4 羊3 美3 着3 義5 養4 群4 馬2
駅3 験4 象5 鳥2 鳴2 集3 難6 雑5 羽2 習3 翌6 飛4 非5 毛2 巣4 弱2
西2 不4 至6 奮6 虫1 蚕6 魚2 貝1 員3 負3 買2 売2 責5 費5 貴6 賞5
賛5 賀4 貿5 貨4 貸5 賃6 資5 質5 貧5 貯5 財5 角2 解5 皮3 求4 革6
卵6 易5 属5 県3 能5 熊4 鹿4

植物（草や木の形からできた字）

桜5	梅4	松4	乗3	査5	梨4	染6	条5	案4	栄4	束4	末4	本1	森1	林1	木1
格5	検5	機6	札4	棒6	柱3	枚6	板3	材4	植3	樹6	枝5	根3	株6	校1	村1
由3	果4	未4	版5	片6	栃4	極4	械4	機4	橋3	様3	横3	標4	権6	模6
蔵6	著6	荷3	蒸6	茶2	芸4	若6	苦3	薬3	葉3	落3	英4	花1	菜4	芽4	草1
箱3	筆3	管4	笛3	竹1	静4	青1	平3	垂6	毒5	每2	産4	生1	才2	次3
移5	秒3	秋2	糖6	精5	粉4	米2	築5	簡6	等3	第3	策6	算2	答2	筋6	節4
者3	年1	来2	麦2	香4	秘6	私6	科2	穀6	種4	積4	税5	程5

住居（家の形からできた字）

家2	営5	館3	余5	舎5	倉4	向3	高2	京2	閣6	関4	閉6	開3	間2	戸2	門2
完4	容5	安3	守3	富4	宝6	実3	定3	寄5	客3	宿3	室2	宣6	官4	宮3	宅6
序5	庁6	府4	度3	庭3	底4	広2	店2	庫3	写3	密3	察4	宗6	宙6	宇6	害4
市2	円1	固4	困6	因5	団5	園2	国2	図2	囲5	層6	康4	座6

自然 （山や川などの自然の形からできた字）

晴2	時2	幹5	暮6	暑3	昼2	昔3	暴5	景3	星2	早1	春1	東2	旧5	白1	日1
多2	夕1	望4	朗6	期3	朝2	明2	月1	的4	曜2	暖6	晩6	昨4	映6	昭3	暗3
河5	湖3	池2	永5	水1	州3	川1	風2	電2	気1	申3	雲2	雨1	夜2	源6	外2
消3	注3	汽2	活2	油	液5	湯3	温3	潮6	激6	波3	洋3	海3	流3		漢3
潔5	清4	減5	満4	浅4	深3	港3	漁4	演5	混5	泣4	沿6	浴4	洗6	泳3	派6
冬2	冷4	氷3	回2	谷2	原2	泉6	準5	滋4	沖4	測5	済6	決3	治4	山1	法4
降6	防5	陸4	限5	陽3	院3	階3	阜4	崎4	岐4	岡4	島3	岸3	岩2		寒3
砂6	石1	郵6	郷6	部3	郡4	都3	厳6	阪4	際5	障6	陛6	隊4	険5	除6
田1	録4	鏡4	銭6	針6	鋼6	鉱5	鉄3	銅5	銀3	全3	金1	確5	破5	研3	磁6
空1	穴6	内2	入1	野2	里2	博4	農3	画2	番2	留5	略5	町1	界3	男1	畑3
均5	域6	城4	境5	場2	坂5	地2	墓5	基5	堂4	型5	在5	圧5	土1	窓6	究3
熱4	然4	照4	黒2	燃5	焼4	灯4	黄2	赤1	災5	炭3	灰6	火1	埼4	塩4	増5
														無4	熟6

道具（道具や武器の形からできた字）

皿3	血	益5	盛6	盟3	酒3	配3	酸5	区3	医3	去3	丁3	曲3	器4	豆3	重3	豊5
示5	祭3	禁5	票4	奈3	神3	社2	祖5	礼3	祝4	福3	良4	料4	量4	重3	置4	
罪5	署6	刀2	切2	分2	券5	列3	利4	別4	刷4	副4	則5	判5	制5	刻6	創6	
割6	劇6	干6	単4	刊5	式3	我6	戦4	王1	皇6	父2	兵4	士5	新	断5		
所3	成4	弓2	引2	強2	張5	矢	知	短	旅	族	旗	師5	声	南	楽	久
業	船	航5	服	前2	方2	車	軍	転	軽	輪	輸5	両	弟	必	章3	
用2	同	再5	冊6	典4	工2	亡6	予3	氏4	井4	午2	台2	処6	主3	耕5		
童3																

服飾（糸や布の形からできた字）

糸1	細2	紀5	経5	線2	縦6	続4	組2	結4	練3	約4	純6	給4	納6	統5	総5
縮6	織5	績5	編5	級3	綿5	絹6	紙2	絵2	紅6	緑3	絶5	終3	縄4	系6	素5
幼6	率5	変5	布5	希4	席4	帯4	常5	幕6	帳3	衣4	表3	裏6	初4	複5	補6
製5	装6	裁6	卒4	玉1	球3	理2	現5	班6	形2	参4	乱6				

その他（数や点などをあらわす字）

| 一1 | 二1 | 三1 | 四1 | 五1 | 六1 | 七1 | 八1 | 九1 | 十1 | 百1 | 千1 | 万2 | 兆4 | 世3 | 小1 |
| 少2 | 当2 | 点2 | 上1 | 中1 | 下1 | | | | | | | | | | |

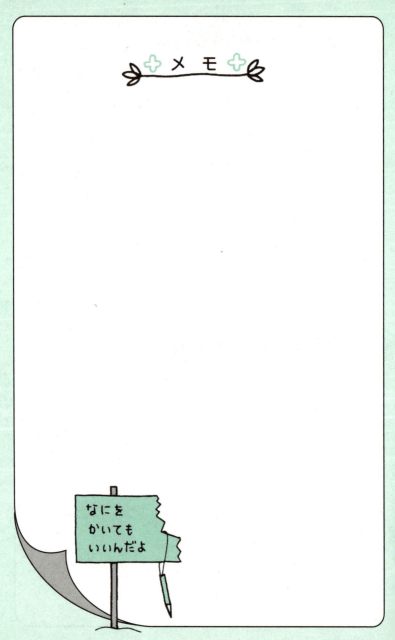

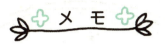

おうちのかたへ

下村　昇

　子どもに漢字を楽しく学ばせるコツは、じつは漢字が本来もっているおもしろさを伝えることです。下村式で覚えた子どもたちは、漢字が好きになります。なぜなら、漢字は小さな部品の組み合わせでできていて、そのことを知ると、学年が進んで難しい漢字が出てきても、書き順も楽に、そして正しく覚えられるようになるからです。この本には、これまでの漢字の学習法にはみられない、いくつかの大きな特色があります。

＊字典ではなく、漢字入門の絵本です
　調べるための字典ではなく、楽しむために全体を絵本的に展開。読んでいくうちに、漢字の基本的意味が理解できます。

＊"識字欲"を刺激する「漢字ファミリー」
　なりたちのパターンを基本に、関連のある漢字をグループにまとめて「漢字ファミリー」に分け、その順に漢字をならべました。漢字学習にもっとも効果的と考えられる配列になっています。

漢字ファミリーのシンボルマーク

人体　　動物　　植物　　住居　　自然　　道具　　服飾　　その他

＊漢字の「なりたち」が基本です
　漢字をもともとの絵にもどして、わかりやすく、さらに興味深く漢字の意味を理解できるようにしました。漢字によっては、新字体となって形が変わっているものや、なりたちにさまざまな説があるものもありますので、子どもに興味や関心をもたせる観点から、理解しやすく、覚えやすい形で表現・創作してあります。

＊リズムにのった「となえかた」で漢字をイメージ化
　独自の下村式の「口唱法®」で、唱えながら筆順が覚えられます。

＊音・訓よみの例文が、理解と応用を助けます
　それぞれのよみの的確な例文を収録。漢字の理解だけでなく、文章力をつける手助けにもなります。

　以上が、この『となえて　おぼえる　漢字の本』（学年別／全6巻）の特色です。本文をちょっと読んでください。まったく新しい発想とアイデアでつくられた、字典ではなく「楽しい読み物としての漢字の本」であることがわかっていただけると思います。「漢字ファミリー」に注目しながら、全学年を通して読むと、いっそう漢字への理解が深まります。
　なお、この『となえて　おばえる　漢字の本』にもとづき、「口唱法」による漢字の書き方の練習や、ストーリー性のある例文で漢字の生きた使い方の学習ができる『となえて かく 漢字練習ノート』（学年別／全6巻）と併用すると、さらに学習が深まります。

── 改訂版によせて ──

　本書は、1965年に出版された『教育漢字学習字典』（下村昇編著・学林書院刊）を底本として、その約10年後の1977年に誕生しました。
　子どもたちが従来の勉強方法から脱却し、なんとか楽しく、能動的・積極的に漢字の学習に身を乗りだしてくれるようにしたいという願いからつくったのですが、「口唱法」という体系的な指導法を創出するのに、最初の『教育漢字学習字典』を上梓してから、実証実験におよそ10年がかかったのです。その間、秋田県・茨城県をはじめ、諸所の国語研究会の先生方に実践検証のために多くのお力をいただきました。
　こうして、授業や家庭でも効果が実証された下村式の漢字学習法・口唱法の内容に、楽しい挿絵を絵本作家のまついのりこさんに描いていただき、できあがったのが本書です。数度の改訂を経て、今回新たな学習指導要領に沿った『漢字の本』ができあがりました。
　こんなにも長く愛される本になるとは、著者である私も驚いています。そして今では、「親子二世代この本で漢字を学びました」という声を聞いたり、小学生のみならず、幼児にも読まれているという話も聞いたりしております。大変うれしいことです。新しくなった『漢字の本』が、これから漢字を覚えるみなさんのお役に立てることを祈っています。

『となえて おぼえる 漢字の本』をつくった人

●下村 昇（しもむら・のぼる）
1933年、東京生まれ。東京学芸大学卒業。小学校教諭、東京都教科能力調査委員、全国漢字漢文研究会理事などを経て、「現代子どもと教育研究所」所長。『下村式 となえて かく 漢字練習ノート（学年別／全6巻）』『下村式 ひらがな練習ノート』（偕成社）、『ドラえもんの学習シリーズ（内5巻）』（小学館）など、漢字・国語関連の学習書や児童文学など、著書多数。2021年逝去。

●まつい のりこ
1934年、和歌山生まれ。武蔵野美術大学卒業。自分の子どもに作った手づくり絵本をきっかけに、物語性のある知識絵本や、観客参加型の紙芝居を発表。絵本『ころころぽーん』で1976年、ボローニャ国際児童図書展エルバ賞、紙芝居『おおきくおおきくおおきくなあれ』で1983年、五山賞を受賞。『じゃあじゃあびりびり』（偕成社）など、著書多数。2017年逝去。

編集協力＝本多慶子・川原みゆき
改訂協力＝下村知行・日本レキシコ・ニシ工芸
なりたち図版協力＝刑部佐知子
装丁＝ニシ工芸（小林友利香）

ご注意●この『となえて おぼえる 漢字の本』の全体および各部分は著者独自の創作です。漢字の〈なりたち〉・〈となえかた〉等を複製することは著作権法により禁止されています。また、「となえて おぼえる」および「口唱法」は登録商標です。

となえて おぼえる 漢字の本 小学5年生 改訂4版
　　　　　　　下村 昇＝著／まつい のりこ＝絵

1977年12月初　　版1刷	1989年7月初　　版67刷
1990年3月改 訂 版1刷	2000年2月改 訂 版36刷
2002年2月改訂2版1刷	2010年4月改訂2版10刷
2012年2月改訂3版1刷	2017年11月改訂3版3刷
2019年2月改訂4版1刷	2024年1月改訂4版2刷

発行者 今村正樹　**印刷** 大昭和紙工産業　**製本** 難波製本
発行所 偕成社　〒162-8450　東京都新宿区市谷砂土原町3-5
©1977 Noboru SHIMOMURA, Noriko MATSUI　　Printed in Japan
ISBN978-4-03-920550-6　　NDC811　264p.　19cm
※落丁・乱丁本は、おとりかえいたします。